Dansk Guldalder

Christen Købke: *Parti af Østerbrogade i morgenbelysning.* Udsnit. 1836. Statens Museum for Kunst. Se fig. 26.

Kasper Monrad

Dansk Guldalder

Hovedværker på
Statens Museum for Kunst

1994

Indhold

7 Forord

9 Det danske guldaldermaleri
Kunstnere og værker

30 Nicolai Abraham Abildgaard

36 Jens Juel

42 Christoffer Wilhelm Eckersberg

68 Johan Christian Dahl

74 Christian Albrecht Jensen

82 Ditlev Conrad Blunck

86 Martinus Rørbye

94 Wilhelm Bendz

106 Constantin Hansen

120 Jørgen Roed

126 Frederik Sødring

132 Wilhelm Marstrand

138 Christen Købke

160 Dankvart Dreyer

168 Peter Christian Skovgaard

176 Johan Thomas Lundbye

188 Vilhelm Kyhn

192 Henvisninger

198 Litteratur

Bogen er finansieret af

A. P. Møller og Hustru
Chastine Mc-Kinney Møllers Fond til almene Formaal

Forord

Statens Museum for Kunst har gennem de seneste årtier udgivet en lang række publikationer i forbindelse med særudstillinger. Store billedværker, små hefter, videnskabelige studier og mere populært anlagte fremstillinger har uddybet og kommenteret, hvad der for en kort periode var sat sammen til en helhed, og har i tekst og billede givet udstillingerne deres værdifulde efterliv.

Til gengæld har vi og vort publikum følt et stadig stærkere savn og et ønske om bogværker, der behandler museets faste samlinger. Bøger til indsigt og glæde, som kan vække til ny eller fornyet interesse for det, man igen og igen kan vende tilbage til i museet, eller det som man måske i en periode ikke kan få at se. Bøger til gensyn og nysyn, hvori man på afstand, uden for museet, og når det passer een, kan orientere sig om det bedste og mest interessante i samlingerne.

Et kunstmuseums eksistensberettigelse og virksomhed er tæt knyttet til det direkte møde med kunstværkerne. Men det skal naturligvis også være muligt at stifte bekendtskab med vore samlinger, selv om man skulle sidde i Lemvig eller i Los Angeles uden mulighed for at kigge indenfor i Sølvgade.

Derfor bliver denne bog om hovedværker i museets samling af dansk guldaldermaleri fra første halvdel af 1800-tallet ikke nogen enlig svale. Den vil være den første i en serie af bøger, hvor vi i historiske udsnit og tematiske tværsnit vil præsentere fremragende danske og udenlandske kunstnere og kunstværker i Statens Museum for Kunsts samlinger – på dansk og i fremmedsprogede udgaver.

Det er museets specialist i dansk guldalder, museumsinspektør, dr. phil. Kasper Monrad, der har forfattet såvel introduktion som kunstnerbiografier og tekster til billederne. En engelsksproget udgave rettet mod det amerikanske publikum indgik i Kasper Monrads katalog for den danske guldalderudstilling, der 1993-94 vistes i Los Angeles County Museum of Art og Metropolitan Museum of Art i New York og bl.a. omfattede hovedparten af værkerne i denne bog.

De kommende år vil byde på nye samarbejder om udstillinger af kunst fra Guldalderen både i Europa og på den anden side Atlanten, og den store internationale opmærksomhed og anerkendelse, giver os god grund til at være stolte over, at Statens Museum for Kunst har verdens bedste samling af guldaldermalerier. Men selv om vi nu også med den ret, som udlandets dom giver os, kan tillade os at måle og sammenligne Eckersberg og Købke m.fl. i international sammenhæng, er det dog stadig den danske målestok, nemlig os selv, vores egen baggrund, der kendetegner vort forhold til guldalderen. Det er den, der begrunder, at vi igen og igen kan vende tilbage til disse maleriers solfyldte, brede udsigter over det danske landskab og de friske små kik, de ofte søndagsagtige hverdagsbilleder, eller blikket fra de som regel ganske uforstillede personer fra dengang, der ser ligeud på een, som var det i dag. Det er billeder, der udstråler ro og harmoni og fortæller om en stabil og evigtvarende verden. Og selv der, hvor det hele ikke foregår i øjen- eller jordhøjde, hvor formatet skrues op, og iscenesættelsen bliver lovlig konstrueret, er det jo kun sådan, som vi egentlig godt kan lide Danmark og danskerne. Det er ligesom når vi synger og bevæges af fædrelandssangene, selv om vi godt ved, at sådan er det ikke helt, og at vi i næste nu kommer ned på jorden igen.

Men i sidste instans er det naturligvis op til den enkelte at gå med eller mod disse billeder af Danmark og danskere. Kasper Monrads ord til malerierne er netop tænkt som et kommenterende og fortolkende medspil og modspil og en mulig ramme for den enkelte til at danne sig sin egen holdning og få sin egen oplevelse.

Udgivelsen af denne bog i den kvalitet, vi har ønsket det, havde ikke været mulig uden en meget generøs støtte fra *A. P. Møller og Hustru Chastine Mc-Kinney Møllers Fond til almene Formaal*. Fra Statens Museum for Kunst skal der udtrykkes en hjertelig tak for den enestående imødekommenhed og store interesse for vort projekt.

Allis Helleland

Det danske guldaldermaleri

Københavnerskolen

Der er blevet uddannet kunstnere i Danmark i mange hundrede år, og helt tilbage til middelalderen kender vi navnene på flere af dem. Men i de første mange år var der tale om nogle ganske få og enkeltstående kunstnere, slet ikke om en egentlig dansk kunstskole. Den opstod temmelig sent, nemlig i begyndelsen af 1800-tallet, og da skyldtes det ikke en tilfældighed, men en mangeårig, bevidst indsats.

Startskuddet til denne udvikling kan tidsfæstes ganske nøje. Det var, da Frederik V i 1754 indstiftede Kunstakademiet i København. Kongens hensigt var klar fra begyndelsen. Han ønskede, at landet skulle blive selvforsynende med kunstnere. Det vil sige: han ønskede *selv* at blive selvforsynende, for kongen og landet var ét i det enevældige Danmark. Indtil da havde de danske konger været nødt til at indkalde malere og billedhuggere fra udlandet, og kun yderst få danskfødte kunstnere havde gjort sig gældende. Ved akademiets indstiftelse var hovedparten af professorerne da også udlændinge.[1]

I løbet af et par årtier fik kongen tilsyneladende sit ønske opfyldt. Omkring 1780, da Nicolai Abildgaard og Jens Juel blev udnævnt til professorer, var næsten alle akademiets lærestole blevet besat med danskere. Men nogen større skare af kunstnere var der endnu ikke tale om, for praktisk taget alle færdiguddannede var tilknyttet akademiet. Hvad der var af kunstneriske opgaver i landet, kunne de tage sig af, og der var ikke behov for flere kunstnere. Hvis en maler eller en billedhugger hverken kunne få beskæftigelse ved hoffet eller på akademiet, så det virkelig sort ud.

At der ikke var flere kunstnere, der kunne gøre kunsten til en levevej, har kongen næppe betragtet som sit problem. Men det ville det imidlertid blive, hvis en af akademiprofessorerne skulle falde bort uden at have nogen arvtager. Det var netop, hvad der skete i 1800-tallets første årti; da døde de tre førende kunstnere inden for henholdsvis billedhuggerkunsten, portrætmaleriet og historiemaleriet – Johannes Wiedewelt, Juel og Abild-

gaard – og selv om de to førstnævntes professorater straks blev besat, var reelt ingen kunstner af format rede til at træde ind i deres sted. Abildgaards professorat stod endda ubesat i ni år. Resultatet var et kunstnerisk tomrum, som det tog 10-15 år at få udfyldt.

Situationen ændredes mærkbart i 1820'rne. Da skete der et voldsomt opsving i den kunstneriske udfoldelse. Langt flere danske kunstnere trådte frem end nogensinde før, og de gjorde sig gældende på langt flere områder. Der var opstået en egentlig dansk – eller rettere københavnsk – kunstskole, og man kan med god ret sige, at den danske hovedstad nu blev et kunstcentrum efter europæisk målestok. Dette er indledningen til den epoke, som i den danske kunsthistorie har fået betegnelsen *guldalderen*.

Det var altså i årene fra 1780 til 1820, grundlaget for en selvstændig dansk kunst blev lagt. I disse år skete også et meget markant omsving i de kunstneriske bestræbelser, malerne lagde for dagen. Hvad der skete, var – meget kort og forenklet fortalt – at de gradvis vendte deres opmærksomhed fra en tidløs og stærkt idealiseret verden, hvor guder og helte færdedes, og hvor hverken naturen eller menneskene kunne undergå forandringer, mod deres egen samtid og mod den virkelighed, de selv tilhørte.

Både Juel og Abildgaard står i denne sammenhæng som overgangsfigurer, og hver på sin måde bereder de vejen for guldaldermaleriet: Juel med det stærke virkelighedspræg i portrætterne og landskaberne, og Abildgaard med de klassiske kompositionsprincipper, som levede videre, længe efter at hans mytologiske og litterære skikkelser var forsvundet ud af dansk kunst.

Men uanset at det i kunsten omkring år 1800 er muligt at finde en række træk, der peger fremad, er det ganske karakteristisk, at det afgørende skridt mod den nye tids kunstneriske udtryk blev taget langt fra København, af en maler, der under et udenlandsophold i vid udstrækning var løsrevet fra den kunstneriske sammen-

Fig. 1. Pierre de Valenciennes: *Hustage i solskin.* 1782-84. Louvre, Paris.

Fig. 2. Thomas Jones: *Hustage i Napoli.* 1782. Ashmolean Museum, Oxford.

Fig. 4. J. C. Dahl: *Udsigt mod villa Malta, Rom.* 1821. Nasjonalgalleriet, Oslo.

Fig. 3. C. W. Eckersberg: *Romersk gårdinteriør.* 1813/16. Ribe Kunstmuseum.

hæng, han til daglig indgik i. Det skete i Rom omkring 1815, og det var Christoffer Wilhelm Eckersberg, der tog skridtet. Ligesom Pierre de Valenciennes og Thomas Jones før ham (fig. 1 & 2), og Johan Christian Dahl efter ham (fig. 4), blev han inspireret af det kunstneriske miljø i Rom og af byens bygninger og blev i stand til at frigøre sig fra den hjemlige tradition, der udgjorde hans kunstneriske baggrund. Han havde da et års studier hos Jacques-Louis David i Paris bag sig, og under sit ophold i Rom udførte han en række småbilleder af byens antikke ruiner og middelalderlige kirker, af dens gader og stræder – og sågar af en baggård (fig. 3 & 5, kat. nr. 8, 9 & 10). Disse malerier udførte han for sin egen skyld, uden tanke på eventuelle købere. Der var tale et markant brud med de gældende danske regler for landskaber og prospekter. Billederne var gerne set fra uventede synsvinkler, men også stramt komponeret efter de klassiske foreskrifter. Her blev det indgående naturstudium gjort til en del af landskabsmalerens arbejde, hvilket paradoksalt nok ikke var en selvfølge på denne tid.

Det ville imidlertid være forkert at opfatte Eckersberg som en forløber for senere epokers realisme og naturalisme, trods naturstudierne og alle de skarpt iagttagne og minutiøst skildrede detaljer i hans billeder. Hans

mål var ikke en usminket skildring af virkeligheden, han genskabte den tværtimod ud fra en forestilling om, at det er muligt at uddrage det væsentlige og sortere det uvæsentlige og tilfældige fra, og at der ligger nogle højere ideale principper til grund for den virkelighed, vi ser.[2]

Ikke mindst den konsekvente skildring af dagslyset brød med vaneforestillingerne hjemme i København. Han erstattede det traditionelle, ofte diffuse lys med et mere naturligt dagslys, og gjorde sig umage med at præcisere, hvorfra lyset kom. De fleste af de romerske prospekter blev aldrig udstillet i Eckersbergs levetid, men kun vist frem til interesserede i hans hjem. Han lod dog nogle af de mere turistprægede af dem udstille på Kunstakademiets årlige udstilling på Charlottenborg i 1817, og da beklagede kritikeren Peder Hjort sig over den »besynderlige Behandling« af lyset i billederne: »De synes slet ikke at være belyste af Dagens sædvanlige Lys, men af et i mange Grader forstærket *Maanelys*.«[3]

Det var altså ikke alle, der uden videre godtog Eckersbergs nye udtryksform, men han blev dog af de fleste hjemme i København modtaget som den maler, man havde ventet på siden Abildgaards død, og i 1818 overtog han sin lærers professorat ved Kunstakademiet i København.

Fig. 5. C. W. Eckersberg: *Marmortrappen, der fører op til Santa Maria in Aracoeli i Rom.* 1813/16. Statens Museum for Kunst.

Fig. 6. Eugène Delacroix: *Friheden fører folket 28. juni 1830.* 1830. Louvre, Paris.

Fig. 7. Théodore Géricault: *Medusas tømmerflåde.* 1819. Louvre, Paris.

Fig. 8. Caspar David Friedrich: *Mand og kvinde, der betragter månen.* 1817-18. Nationalgalerie, Galerie der Romantik, Berlin.

Med Eckersberg som den alt dominerende lærer på Kunstakademiet var rammerne for den danske malerkunst fra omkring 1820 til 1850 eftertrykkeligt afstukket. Dermed er der sagt meget om, hvordan det danske maleri blev, men også om, hvordan det *ikke* blev. Kunstnerens personlige erfaringer var rettesnor, og både det ekstreme og det ophøjede, sublime var helt fremmed for danskerne, ligesom drømmenes sære verden var det. Ingen dansk maler hengav sig til de store følelser på samme måde som franskmanden Delacroix (fig. 6); eller afsøgte skyggesiderne af menneskesindet, sådan som hans landsmand Géricault gjorde (fig. 7). Heller ingen dansk maler besjælede sine landskabsbilleder med stærk religiøsitet som tyskeren Friedrich (fig. 8), eller gav naturen visionær karakter som englænderen Turner (fig. 9).[4] End ikke romantisk udlængsel kom til udtryk. Selv om nordmanden J. C. Dahl havde en væsentlig andel i den danske guldalder og påvirkede flere af de yngre malere, var der ingen af dem, der blev draget af voldsomme vulkanudbrud (kat.nr. 18) eller længtes efter skibskatastrofer som han (fig. 10). De danske malere havde mulighed for at se Dahls billeder, men de fulgte kun i beskedent omfang hans eksempel.

På sin vis kan den danske natur siges at have sat disse begrænsninger. Mange af de landskaber, deres udenlandske kolleger skildrede, fandtes ikke og findes ikke i Danmark. Men omvendt kan det siges, at danskerne kunne havde opsøgt dem, hvis de ville. Næsten alle danske malere rejste til Rom og har derfor nødvendigvis passeret Alperne. Men ingen af dem havde blik for naturfænomener som dem, Turner blev inspireret til i Schweiz. De få billeder, som danskere malede af Alperne, adskiller sig i grunden ikke principielt fra de danske motiver (fig. 11). Selv ikke den jyske Vesterhavskyst med dens mere barske natur fristede de danske malere. Kun en enkelt, Dankvart Dreyer, kom overhovedet ud til Vesterhavet, og han blev bagefter fra flere sider bebrejdet, at han ikke havde skildret havet i oprør med et skib i havsnød (kat.nr. 55). Ingen andre søgte at rette op på denne såkaldte forsømmelse, selv om de vidste, at motivet var der. På samme måde nøjedes en anden landskabsmaler, Johan Thomas Lundbye, med at drømme om at male den storslåede og barske jyske hede og holdt sig til den mere fredelige sjællandske natur.

Fig. 9. Joseph Mallord William Turner: *Lavine i Graubünden*. 1810. Tate Gallery, London.

Fig. 10. J. C. Dahl: *Skibbrud ved den norske kyst*. 1831-32. Statens Museum for Kunst.

Fig. 11. Jørgen Sonne: *Venostadalen (Vintschgau) med slottet Choira (Churburg) og det snedækkede bjerg Ortles (Ortlør)*. 1829 eller 1831. Statens Museum for Kunst

Fig. 12. C. W. Eckersberg: *Udsigt gennem tre buer i Colosseums tredie stokværk.*
1815 el. 1816. Statens Museum for Kunst. Se kat.nr.10.

Eckersberg malede i klart dagslys, og det gjorde hans elever og efterfølgere også. Alle detaljer skulle betragtes indgående og kærligt. Der var derfor intet sværmeri for dunkle skovkrat eller tusmørkestemninger og næsten ingen nattebilleder. Selv vinterens skarpe lys og kulde gik danskerne stort set uden om – trøstesløshed var ikke deres ærinde.

Eckersberg fordrede trofasthed i skildringen af selv den mindste detalje, og skønt hans elever efterhånden tillod sig at træde nogle skridt tilbage og anlægge en videre synsvinkel, end læreren havde gjort, så glemte de aldrig enkelthederne. Hans farveholdning og malemåde satte også sine grænser. De spidse pensler og fordrevne

strøg blev overtaget af alle den næste generations malere. Ingen dansker kom derfor til at dyrke det virtuose eller de store gestus i malemåden som Delacroix, og ingen af dem kunne drømme om at bruge spartelen i den sidste fase af arbejdet, som englænderne Turner og Constable til tider gjorde. Selv når danskerne malede olieskitser, var de påfaldende forsigtige. Intet blev overladt til håndens og øjeblikkets luner.

Det danske guldaldermaleris særpræg træder tydeligt frem, hvis man sammenholder et af Eckersbergs mest berømmede malerier fra Rom – hans udsigt gennem tre af Colosseums buer – med et beslægtet motiv, som hans franske kollega Camille Corot malede ti år senere (fig.

Fig.14-17. Carl Jacob Lindström: *Den franske, tyske, engelske og italienske landskabsmaler.* 1830. Nationalmuseum, Stockholm.

Fig. 13. Camille Corot: *Colosseum set gennem arkaderne i Konstantin-basilikaen i Rom*. 1825. Louvre, Paris.

12 & 13). Mens Eckersberg nærmest har betragtet ruinen med en arkæologs grundighed, har Corot været mere optaget af at indfange atmosfæren på stedet. Han har villet indfange lysets skiftende intensitet og farvenuancernes vekslen. Hans indgang til motivet var langt mere malerisk, end Eckersbergs var, og han har arbejdet med selve oliemalingens fysiske karakter som virkemiddel – hvorimod danskeren til gengæld har søgt at skjule den. Også når det gælder strukturen i billedet, er der afgørende forskelle: Eckersberg har udnyttet de tre buer til at skabe en klassisk opbygget, afbalanceret komposition, mens Corot har villet modvirke det klassiske præg ved delvis at spærre for udsynet. Hverken i det virkelige

liv eller på det kunstneriske plan mødte de to malere hinanden.

Skal man søge en international parallel til guldalderkunsten, skal man rette blikket mod det samtidige nordtyske maleri, mod den såkaldte Biedermeierkunst. Her vil man hos en række malere finde det samme virkelighedsnære præg, og den samme kærlighed til detaljen.[5]

Den svenske maler Carl Jacob Lindström har meget vittigt karakteriseret landskabsmalerne fra fire forskellige lande (fig. 14-17).[6] Franskmanden trodser naturens rasen og maler et lyn, mens det slår ned for fødderne af ham; italieneren farer af sted i hestevogn, mens han hastigt nedfælder sine indtryk af motiverne; englænde-

Fig. 18. Martinus Rørbye: *Interiør fra Kunstakademiet med malende og tegnende kunstnere*. 1825. Den kongelige Kobberstiksamling, Statens Museum for Kunst.

Fig. 19. Christen Købke: *Eckersberg og Marstrand på studieudflugt ved Fileværket (Rådvad)*. 1832. Den kongelige Kobberstiksamling, Statens Museum for Kunst.

ren har taget kikkertbriller for øjnene og støtter sig til sine tekniske hjælpemidler, mens han maler; og tyskeren fordyber sig pedantisk i en lille ubetydelig blomst, mens han helt overser storheden i naturen. Den danske maler kunne have sat sig ved siden af sin tyske kollega.

Det skulle vise sig, at Eckersberg med sit nye virkelighedsbetonede maleri var godt rustet til at påtage sig de kunstneriske opgaver, der ventede ham. Men tiden havde også arbejdet for ham, mens han var i udlandet. I det kriseramte danske samfund var der nu behov for en kunstner, der kunne skildre motiver hentet fra den hverdag, som det toneangivende københavnske borgerskab selv kendte til. Det vil sige: male portrætter, genremalerier, bybilleder og landskaber, og det kunne Eckersberg.

Han tiltrådte sin læreplads ved et Kunstakademi, som nok havde et vist internationalt ry, men som ikke havde undergået nogen større ændringer i de tres år, det havde eksisteret.[7] Lige siden akademiets oprettelse havde der været én kategori af billeder, der havde den absolutte forrang blandt malerkunstens forskellige billedtyper. Det var det såkaldte historiemaleri, det vil sige det historiske, mytologiske og religiøse maleri. Ligesom ved det parisiske kunstakademi blev det betragtet som mere fornemt end de andre kategorier såsom portrætmaleriet, landskabsmaleriet og folkelivsmaleriet, for ikke at tale om blomstermaleriet. Dette forhold blev ikke ændret i

Eckersbergs levetid, rent formelt. Men i praksis kom de øvrige billedtyper snart til at fortrænge historiemaleriet fra dets førerstilling. Hele undervisningen var imidlertid fortsat lagt an på uddannelsen af historiemalere, for det var oprindelig dem, der først og fremmest skulle tjene kongens interesser med billeder af kongernes historie. I alle klasserne var der derfor lagt vægt på at opøve eleverne i at skildre menneskekroppen i alle tænkelige stillinger. I de første klasser sad de unge kunstnere år efter år og tegnede kopier efter andre kunstneres figurtegninger og -stik. Derpå fulgte Gipsskolen, hvor de tegnede efter gipsafstøbninger af verdenskunstens betydeligste skulpturer, og endelig Modelskolen, hvor der blev tegnet efter levende model (som det ses på Wilhelm Bendz' maleri, kat.nr. 27). I den sidste del af studietiden skulle eleverne aflægge flere prøver på, hvad de havde lært. Dels tegne efter model, hvilket blev belønnet med først den lille og så den store sølvmedalje. Dels male et motiv, de fik opgivet – det blev altid hentet fra Biblen – og det kunne indbringe dem den lille og den store guldmedalje.

Det er imidlertid værd at bemærke, at der udelukkende blev *tegnet* i akademiets forskellige klasser. At komme til at lære at male eller modellere måtte eleverne sørge for på egen hånd. Det vil sige, de måtte træffe aftale med en af professorerne om at arbejde i hans atelier og lære ham kunsten af, ganske efter den gamle mesterlæres principper (fig. 18).

Afslutningen på uddannelsen var strengt taget den store guldmedalje. Men det forventedes, at kunstnerne derefter tog på deres store udenlandsrejse. Altid til Rom og kun undtagelsesvis et kortere ophold i Paris.

Eckersberg var også blevet uddannet til at virke som historiemaler, men under hans studieophold i Paris og Rom var det blevet klart, at han havde svært ved rigtig at indleve sig i de mytologiske og religiøse motiver (jf. kat.nr. 6), og han havde da også ladet sig grundigt distrahere fra det egentlige mål for rejsen. Man kunne derfor forvente, at han ville søge at forny uddannnelsen. Han havde heller ikke været knyttet længe til Kunstakademiet som lærer, før han i 1822 fremlagde et reformforslag sammen med sin professorkollega, historie- og landskabsmaleren Johan Ludvig Lund. Først og fremmest ønskede de at indføre maleøvelser i studieforløbet, men også undervisning, der rakte ud over de rent tekniske discipliner, altså vejledning i det egentlige kunstneriske arbejde. Fornyelsesforsøget løb nærmest ud i sandet, men maleundervisningen vandt dog gradvist indpas, dog først formelt i 1842. Vanetænkningen på Kunstakademiet blev understreget seks år senere, i 1848, året

Fig. 20. Wilhelm Bendz: *Familien Waagepetersen*. 1830. Privateje.

for de mange omvæltninger i Europa, da en række unge elever – bl.a. landskabsmaleren Johan Thomas Lundbye – krævede undervisningen lagt om. Men selv ikke de havde fantasi til at forestille sig et uddannelsesforløb uden studier efter antikken og levende model.

Heller ikke guldmedaljekonkurrencen blev ændret, skønt den efterhånden var ude af trit med de unge kunstneres bestræbelser. Det understreges af, at den store guldmedalje i årene 1818-50 kun blev uddelt til fire malere (og ingen af dem regnes i dag blandt de betydeligste kunstnere). Mange elever forsøgte sig uden held i konkurrencen, og andre afstod helt fra at deltage.

Nok så vigtigt er det imidlertid, at Eckersberg satte sig for at videregive de kunstneriske erfaringer, han gjort i Rom. Han tog eleverne med på udflugter til Københavns omegn, hvor de malede og tegnede direkte foran motiverne (fig. 19). Hermed gjorde han i praksis naturstudiet til en del af undervisningen og blev således en pioner, ikke bare i dansk, men også i europæisk sammenhæng. I de fleste andre lande i Europa var der på denne tid malere, der viste tilsvarende bestræbelser i deres billeder, men det skete gerne på trods af de officielle krav, og slet ikke i tilknytning til undervisningen på kunstakademierne.

Ingen anden dansk maler har som lærer haft så vidtrækkende betydning som Eckersberg. Rækken af hans elever blev lang og strækker sig nærmest over flere generationer af kunstnere – først og fremmest Bendz, Martinus Rørbye, Constantin Hansen, Jørgen Roed, Wilhelm Marstrand og Christen Købke. Betydningen af hans undervisning blev meget hurtigt erkendt i samtiden. Allerede i 1824 pointerede en anmelder, at nogle akademielever – heriblandt Bendz og Rørbye – »alle ere udsprungne af een Skole«, og han betonede, at kvaliteten af deres arbejder »ligesaameget geraade Kunstnerne som deres Lærer, Hr. Professor Eckersberg, til Ære.«[8] Henved femten år senere erklærede kunsthistorikeren Niels Laurits Høyen ligeud, at »den yngre danske Malerskole« næsten var »eenslydende« med den eckersbergske skole,[9] og teologen og kunstkritikeren Karsten Friis Wiborg skrev: »At den yngre danske Malerskole er grundet og udviklet af Eckersberg, vil uden synderlig Overdrivelse kunne paastaaes«.[10]

København var i alle henseender en snæver, lukket verden, der nærmest symbolsk var begrænset af byens gamle volde, og det samme var byens kunstmiljø. Alle kendte hinanden, og hovedpersonerne gik igen i flere forskellige sammenhænge. De snævre økonomiske rammer, som de økonomiske forhold satte, gjorde ikke horisonten videre. Efter Napoleonskrigenes afslutning i 1814 blev Danmark kastet ud i en økonomisk krise, der kom til at berøre næsten hver eneste dansker, og som varede til begyndelsen af 1830'rne. Selv de mest velhavende kunstsamlere strakte ikke deres interesser længere end til deres familie, deres arbejde og deres kunst, som det ses på de familiebilleder, der blev malet (fig. 20; kat. nr. 29 & 42). Men dette hænger dog også sammen med, at selv de mest velhavende kunstsamlere ikke var særlig velhavende. Og for den mere jævne borger gjaldt det, at kunstinteressen – og især økonomien – næppe rakte til mere end et par familieportrætter.

Dette begrænsede perspektiv kom også til at præge et af periodens mest idealistiske initiativer, oprettelsen af Kunstforeningen i København i 1825. Bagved lå ønsket om at styrke kunstlivet og kunstinteressen, og i nogle år lykkedes det også at skabe et modstykke til det forældede Kunstakademi, med småudstillinger af kunstnernes nye arbejder, prisopgaver og opmuntrende bestillingsopgaver til de unge kunstnere. Men i det lange løb blev foreningen hæmmet af, at medlemmerne først og fremmest meldte sig ind i håb om at vinde et maleri i den årlige bortlodning. Der skulle ikke satses på morgendagens mulige talenter, men købes så mange kunstværker som muligt af anerkendte kunstnere for færrest mulig penge!

Ved siden af Kunstakademiet var der en anden institution, der spillede en afgørende rolle ved sine indkøb af kunst, nemlig Den kongelige Malerisamling. Denne samling var formelt kongens private ejendom indtil enevældens ophør i 1848, men fra 1827 fik den en halvofficiel status med offentligt adgang i Det kongelige Billedgalleri på Christiansborg Slot. Med kronprins Christian Frederik, den senere senere Christian VIII, som aktiv medspiller i kunstlivet indkøbtes hvert år en række malerier til samlingen, hvad der ikke alene var ærefuldt for kunstnerne, men selv sagt også havde stor betydning for deres økonomi.[11] Den kongelige Malerisamling kom

til at danne grundstammen i Statens Museum for Kunst, da dette museum blev indviet i 1896, og det er værd at bemærke, at en meget stor del af de malerier, vi i dag betragter som hovedværker inden for guldalderkunsten, rent faktisk blev indkøbt til samlingen allerede i kunstnernes levetid, og ingen af de kunstnere, hvis navne er blevet stående i kunsthistorien, blev forbigået. I nogle tilfælde opnåede kunstnerne endda at sælge malerier til samlingen, mens de endnu var ganske unge. I Bendz' tilfælde kun 22 år.

Kunstakademiet var og blev dog centrum for kunstlivet, ikke alene fordi det var dér, de mest talentfulde ældre kunstnere og alle de yngre havde deres gang, men også fordi de årlige udstillinger på Charlottenborg gav kunstnerne den væsentligste mulighed for at udstille deres værker.

Det var også på Kunstakademiet, de danske kunstnere kunne møde udenlandske kolleger. Siden slutningen af 1700-tallet havde det københavnske Kunstakademi tiltrukket en række tyske – især nordtyske – malere; i første omgang Friedrich, Runge og Kersting, senere landskabsmalere som Christian Morgenstern og Hermann Carmiencke. Ligeledes billedhuggeren Hermann Ernst Freund, men han slog sig permanent ned i København og regnes nu for en dansk kunstner.

Der blev derfor talt næsten lige så meget tysk som dansk på Kunstakademiet i 1820'rne og begyndelsen af 30'rne, og der blev knyttet mange venskaber på tværs af sproggrænsen. Men helt uden modsætninger og klikedannelse har samlivet mellem de danske og de tyske akademielever dog ikke været, som man kan få indtryk af fra den slesvigske maler Carl Goos' beretning fra maj 1824 til H. W. Bissen: »På Akademiet er der nu en stor spænding mellem den eckersbergske skole og tyskerne, for hele morsomheden hos Klees på den nordlige bro [dvs. broen uden for Nørreport] har de fortalt til Eckersberg, som nu er meget kold mod os, og vi bliver på Eckersbergs malerstue ikke kaldt andet end den tyske klike. Lund er derimod venligheden selv.«[12] Bortset fra, at man her får en antydning af nogle sikkert studentikose løjer, får man også bekræftet indtrykket af J. L. Lund som den af professorerne, der var mest åben over for kontakten med de tyske malere.

Den norske maler J. C. Dahl valgte at bo og arbejde i

Fig. 21. Wilhelm Marstrand: *En gadescene i hundedagene.* 1832. Statens Museum for Kunst.

Dresden frem for i København – og derved opnåede han en langt mere international kundekreds end Eckersberg. Men han bevarede en tæt kontakt med kunstlivet i Danmark og vedblev hele sit liv at udstille på Charlottenborg. Derved kom han til at danne et vigtigt mellemled til det tyske romantiske landskabsmaleri. Dahl opfordrede ligefrem de unge tyske malere i Dresden til at tage til København og få en ordentlig uddannelse, som det fremgår af et af Wilhelm Bendz' breve: »En af Dahls Elever har fortalt mig, at Dahl, hvilket Tydskerne ikke tage ham vel op, ikke holder sig tilbage fra at dadle det løse Arbeide og ligefrem siger dem, at de skulde studere ved Academiet i Kiøbenhavn.«[13] I hvert fald to tyske malere, Carmiencke og Frederik Theodor Kloss, fulgte hans opfordring.

Til gengæld var der ikke plads til en billedhugger af Bertel Thorvaldsens format i Danmark – eller til nogen anden billedhugger, der ikke stillede sig tilfreds med at hugge gravmæler og portrætbuster, men håbede på storstilede bestillinger. Den største opgave, der blev givet til en billedhugger – de tretten skulpturer af Kristus og apostlene til Vor Frue Kirke i København – fik Thorvald-

sen overdraget i 1819, skønt hans yngre kollega Freund allerede havde fået stillet den i udsigt. Freund fik ikke senere en tilsvarende bestilling. Thorvaldsen valgte derfor klogeligt at blive i Rom.

Thorvaldsen fik alligevel stor betydning for dansk kunst, både som inspirationskilde for malerne af Eckersbergs generation og som den samlende skikkelse i den dansk-tyske kunstnerkoloni i Rom. Også de tyske kunstnere betragtede Thorvaldsen som deres landsmand. Herved bidrog han til at styrke de tætte bånd mellem de danske og de tyske malere. Mange af danskerne gjorde længere ophold i Tyskland på vej til og fra Italien, især i München. Bendz synes endda at have overvejet at slå sig ned permanent i byen.

Mens den økonomiske krise var dybest i begyndelsen af 1820'rne, skete det markante opsving i den kunstneriske aktivitet i København. Langt flere malere udførte langt flere malerier end nogen sinde før i Danmark.[14] De nedskruede fordringer, som krisen affødte hos datidens danskere, kan tydeligt aflæses af malernes motivvalg. Det var, som om datidens danskere end ikke havde fantasi til at drømme sig væk fra hverdagen. Malerne dyrkede derfor det nære, det velkendte og det beskedne. Først og fremmest motiver hentet fra deres egen – og deres publikums – tilværelse: små og store optrin fra dagligdagen (fig. 21), scener af familielivet i de borgerlige hjem og billeder af de nære omgivelser, dvs. de københavnske gader, stræder og pladser og de landlige omgivelser lige uden for byens volde. Malernes interesse for disse motiver blev støttet af Høyen, der nærmest så en højere mening i, at kunstnerne skildrede disse motiver, da de bekræftede de borgerlige livsværdier.[15]

Ofte lagde malerne et vist lune for dagen, men billederne blev altid holdt i beskedne formater, der passede til købernes pengepung og hjem. Derfor er guldalderkunsten i meget høj grad holdt i kabinetsformat. Ingen af de danske malere bandt an med kæmpelærreder som dem, franske malere som Géricault og Delacroix udfoldede sig på.

I forlængelse heraf skal tiårets portrætmaleri også ses. Ganske vist havde Eckersberg i Paris tilegnet sig en stort anlagt portrætstil, og inden krisen for alvor havde ramt udenrigshandelen, nåede han at male flere af de

Fig. 22 & 23. C. A. Jensen: *Johannes og Birgitte Søbøtker Hohlenberg.* 1826.

fremtrædende handelsfolk i stort format. Men malerier af den størrelse var det dog de færreste, der havde råd til, og der er derfor en åbenlys økonomisk forklaring på, at de mindre velstillede embedsmænd snart foretrak C. A. Jensens fordringsløse, små portætter (fig. 22 & 23). De fleste portrætkunder kunne også bedre se sig selv skildret ligefrem og prunkløst, som Jensen gjorde det, end i Eckersbergs monumentale iscenesættelse.

I 1820'rne og begyndelsen af 30'rne var det derfor kun de officielle bestillinger – historiemalerier til kongeslottet og altertavler til kirkerne – der krævede billeder i store formater. Der var dog én maler, der gik på tværs af den tendens, nemlig Bendz. Flere af hans billeder af kunstnere under arbejdet har ganske pæne formater (kat.nr. 26), et enkelt er efter danske forhold meget stort, nemlig *En billedhugger, der arbejder efter levende model i sit atelier* fra 1827 (fig. 24). Med malerier som dette ville han skabe et modstykke til det officielle historiemaleri, og de har nærmest karakter af programværker: kunstnerne skulle hellige sig deres egen tids virkelighed, ikke historiemaleriets fortidige og fjerne verden.[16]

I flere henseender fremstår Christen Købke som en kunstner, der helt og fuldt var et barn af den økonomiske krise og den deraf følgende snævre horisont. Han boede det meste af sit liv i sine forældres bolig, og han fandt de fleste af sine motiver i umiddelbar nærhed af sit hjem uden for det egentlige København. Når han endelig tog ud på landet, boede han gerne hos en af sine søskende, og han begrænsede sit ophold i Italien til det kortest mulige. Han synes ikke at have haft noget teoretisk grundlag for sin kunst – modsat Eckersberg, Bendz og Lundbye – og der var intet af romantikkens rebel i ham. Han erklærede sig tværtimod tilfreds med det beskedne og enkle liv, han levede.

Men Købke skabte billeder, hvis originalitet rækker langt ud over Danmarks grænser. Med en meget sikker intuitiv fornemmelse arbejdede han med kompositioner, hvor både synsvinkel og motivafskæring i mange tilfælde er overraskende dristig, og hvor et tilsyneladende ubetydeligt motiv har fået betydning (fig. 25). Han afsvor aldrig de klassiske kompositionsprincipper, som Eckersberg havde bibragt ham, men i koloristisk hense-

Fig. 24. Wilhelm Bendz: *En billedhugger, der arbejder efter levende model i sit atelier.* 1827. Statens Museum for Kunst.

Fig. 25. Christen Købke: *Udsigt fra et vindue på Toldbodvej til Kastellet.* Ca.1833. Statens Museum for Kunst.

ende benyttede han langt mere raffinerede virkemidler, end hans lærer nogensinde gjorde. Han afstemte farverne efter hinanden inden for en begrænset del af farveskalaen, men med en rigdom af nuancer, og satte dem i relief med enkelte kontrastfarver.

Købke havde kun beskeden og forbigående betydning for enkelte af sine malerkammerater. Men han bidrog i høj grad til det kunstneriske skift, der fandt sted midt i 1830'rne. Stilændringen skal uden tvivl ses i sammenhæng med den nye optimisme, der fulgte med det økonomiske opsving i det danske samfund i årene efter 1830. Det var først og fremmest Købke og Constantin Hansen, der formulerede den nye monumentalitet, der nu voksede frem (jf. kat.nr. 33 & 46). Malerne begyndte at se på motiverne med andre øjne – de kom til at virke mere statelige og imponerende. De snævre motivudsnit blev erstattet af bredere og mere repræsentative helhedsbilleder, og malerierne blev gennemgående større. De unge malere begyndte også at bearbejde motiverne og kunne nu ændre på kompositionen og indføje nye detaljer. Dette var samtidig det første skridt mod et brud med den eckersbergske kunstopfattelse.

For Købke betød den nye udtryksform ikke et skift til helt nye motiver. Han fortsatte med at male portrætter af familien og af de københavnske forstadslandskaber, men han førte motiverne op i større format og gjorde dem nærmest majestætiske, ligesom han i flere tilfælde føjede et element af romantisk naturstemning til den rene naturiagttagelse i de tidligere arbejder. Det mest monumentale udslag af denne nye holdning er maleriet *Parti af Østerbro i morgenbelysning* fra 1836, hvor Købke har skildret nogle tilsyneladende tilfældige hverdagsoptrin på en tidlig sommermorgen (fig. 26). De samtidige kommentarer til billedet er ganske sigende. Da oldtidsforskeren Christian Jürgensen Thomsen kom i besiddelse af maleriet året efter, bemærkede han, at han fandt billedet meget smukt, »uagtet at det kun forestillede en saa simpel Ting som en Landevej igiennem en Forstad«, og en kunstkritiker fastslog, at billedet viste, »hvorledes en mesterlig Opfatning og udmærket Udførelse kan skabe et skjønt og interessant Kunstværk af den almindeligste Gjenstand.«[17]

Den ændrede opfattelse af motiverne kom måske tydeligst frem i de malerier af nogle af middelalderens

Fig. 26. Christen Købke: *Parti af Østerbro i morgenbelysning.* 1836. Statens Museum for Kunst.

og renæssancens danske slotte og kirker, som Constantin Hansen, Roed og Købke udførte omkring 1835 (kat. nr. 33, 38 & 47). Rent umiddelbart kunne det tage sig ud, som om billederne blot skulle ses i forlængelse af Eckersbergs arkitekturstykker. Men der er en afgørende forskel: de unge malere har ønsket at give et helhedsindtryk af bygningerne, ikke blot vise et udsnit, og har derfor betragtet dem på afstand. I et enkelt tilfælde har Roed endda søgt at genskabe en bygnings oprindelige udseende i sit billede (kat.nr. 38). Bag disse bestræbelser anes kunsthistorikeren Høyen, der gerne så malerkunsten anvendt i opdragende øjemed og her øjnede en mulighed for at skabe større forståelse for de nationale historiske monumenter.

De unge malere tog fortsat til Italien. De blev der gerne 3-4 år – en hjemmefødning som Christen Købke dog kun to år, mens hans kammerat Constantin Hansen var væk i hele otte år. Rom var stadig målet for rejsen, men modsat Eckersberg brugte hans elever byen som

base for deres videre færden. Constantin Hansen, Købke og Roed tilbragte således en stor del af deres Italiensophold i egnen omkring Napoli, stærkt lokket af udgravningerne i Pompeji og Herculanum. Og Martinus Rørbye, der var lige så rejselysten som H. C. Andersen, var ikke bare af sted to gange til Rom, men valgte også så usædvanlige rejsemål som Athen, Konstantinopel (Istanbul), Stockholm og Skagen.

Malerne så i høj grad på antikkens og middelalderens bygningsværker med deres lærers øjne, specielt i de mange små malede skitser (kat.nr. 35). Men i deres store kompositioner havde deres hovedinteresse forrykket sig markant i forhold til Eckersberg. Det italienske folkeliv stjal næsten al opmærksomheden. Constantin Hansen arbejdede således i 1838-39 på et billede, hvor arkitektur og natur blot skal angive rammen for det egentlige motiv: En oplæser, der fremsiger renæssancedigteren Artiosts *Den rasende Roland* omgivet af sine tilhørere på Moloen i Napoli, med Vesuv i baggrunden

Fig. 27. Constantin Hansen: *En oplæser af »Den rasende Roland« omgivet af sine tilhørere på Moloen i Napoli.* 1839. Statens Museum for Kunst.

(fig. 27).[18] Han malede her en scene, som mange Italiensfarere synes at have oplevet på denne tid. Han kan meget vel have fået kraftig inspiration til billedet fra en tysk maler, Friedrich Mosbrugger, der havde malet det samme motiv ti år før. Men nok så vigtigt er det, at H. C. Andersen også havde skildret sceneriet i romanen *Improvisatoren*, som i 1835 havde skaffet ham hans internationale gennembrud. Constantin Hansen kunne altså have baseret billedet alene på andres skildringer. Men det gjorde han ikke. Han brugte det meste af et år på at indsamle studier af det brogede folkeliv i Napoli. På denne måde levede han op til Eckersbergs krav om kun at male, hvad han vitterligt havde set.

I 1838 skete et markant nybrud i guldalderkunsten. Ét maleri markerer mere end noget andet denne ændring, nemlig Lundbyes *Landskab ved Arresø, med udsigt til flyvesandsbakkerne ved Tisvilde* (fig. 28). I dette billede har Lundbye stræbt mod en storslået og monumental opfattelse af naturen, som slet ikke findes i de tidligere guldaldermalerier. Landskabet åbner sig nu som et panorama foran en. Billedet indvarsler 1840'rnes nationalromantiske landskabsmaleri.

Baggrunden for den nye strømning skal søges i de

samtidige politiske forhold. Der var i løbet af 1830'rne opstået nationale modsætninger mellem de dansk- og tysksindede i de to hertugdømmer Slesvig og Holsten, og mod årtiets slutning skete en voldsom opblomstring af nationalfølelsen på begge fløje, med en udtalt stemning af uforsonlighed til følge. En række toneangivende personer i København gjorde nu alt for at styrke danskheden, ikke bare i hertugdømmerne, men også i selve Danmark.

Den nye nationale situation kom på afgørende måde til at sætte sit præg på kunstens verden. Mellem de danske og tyske kunstnere opstod der nu skarpe modsætninger, og de nære kulturelle bånd blev brudt. Kunstnerne fra Slesvig-Holsten blev splittet i to grupper, ligesom alle andre fra hertugdømmerne. Flere holstenske malere forlod København og gled ud af det danske kunstliv.

Landskabsmaleriet blev hurtigt inddraget i den nationale kamp, ikke mindst fordi det var en udbredt opfattelse, at den danske nationalkarakter var formet af landets natur. Det blev nogle helt unge kunstnere, der gav sig til at dyrke den danske natur, først og fremmest Lundbye, P. C. Skovgaard og Dankvart Dreyer, der kom til at stå for den nye kunstneriske holdning. Fælles for dem var, at de reagerede mod Eckersbergs nøgternhed

Fig. 28. J. Th. Lundbye: *Landskab ved Arresø, med udsigt til flyvesandsbakkerne ved Tisvilde.* 1838. Thorvaldsens Museum, København.

og i stedet søgte vejledning hos hans professorkollega, Johan Ludvig Lund, der var mere romantisk i sin natur-opfattelse, ligesom de modtog vigtig inspiration fra J. C. Dahl.

De unge malere ønskede ikke at dvæle ved det enkelte motivs særpræg, men stræbte efter at fremhæve det generelle og typiske i den danske natur. Og de gik ikke af vejen for at stykke kompositionerne sammen af enkeltheder hentet fra forskellige motiver – hvad Eckersberg aldrig ville have gjort. I maleriet af udsigten over Arresø har Lundbye bearbejdet motivet og ændret flere detaljer. Baggrundens bakker tager sig i det store billede lige så statelige ud som udlandets bjerge, men en sammenligning med olieskitsen til billedet (fig. 29) viser, at de slet ikke var så imponerende i virkeligheden. Kæmpehøjen, der har erstattet skitsens stengærde, lå heller

Fig. 29. J. Th. Lundbye: *Landskab ved Arresø, med udsigt til flyve-sandsbakkerne ved Tisvilde.* Studie. 1837. Privateje, New York.

Fig. 30. J. Th. Lundbye: *Et boelsted ved Lodskov nær Vognserup.* 1847. Statens Museum for Kunst.

ikke på det sted, og dens placering strider endog med fortidsdanskernes begravelsesskikke – de ville aldrig have anlagt den på et så lavt og sumpet sted! Men den bidrager i høj grad til billedets monumentalitet, ligesom den har symbolsk betydning som en hentydning til den nationale historie.

I konsekvens af deres romantiske holdning søgte de unge malere væk fra byen, ud på landet (bortset fra Dreyer fandt de dog gerne motiverne i bekvem afstand fra København). Det var imidlertid ikke den uberørte natur, de malede, men det kultiverede landbrugsland. Af gode grunde, for heller ikke dengang var der megen uberørt natur i Danmark. Men i stedet for de opdyrkede marker kunne de dog male overdrevets mere frit voksende arealer (jf. kat.nr. 61). Malerne skildrede altid egne, hvor mennesket havde sin daglige færden. De lagde både na-

turfølelse og stemning i billederne, men hverken stærk religiøs besjæling eller voldsom dramatik.

Det nationale landskabsmaleri tolkede i høj grad følelser, der lå i tiden, og det er meget betegnende, at de unge landskabsmalere gennemgående fik langt større respons på deres billeder, end Eckersbergs elever havde gjort.

Lundbye var den, der mest klart formulerede sigtet med sine billeder: »Hvad jeg som Maler har sat som mit Livsmaal er: at male det kjære Danmark, men med al den Simpelhed og Beskedenhed, som er saa characteristisk for det«.[19] Han ville vise, at den danske natur kunne måle sig med udlandets, selv med dets bjerge, og i hovedværket *En dansk kyst* fra 1843 fik han nogle temmelig beskedne klinter til at tage sig sig ret imponerende ud (kat.nr. 62). Lundbye vendte sig kraftigt mod de tyske landskabsmalere, men paradoksalt nok synes han i dette billede at være inspireret af netop tysk kunst, ikke mindst Friedrich. Da maleriet blev udstillet i 1843 beklagede en anmelder, at Lundbye og de andre danske landskabsmalere forholdt sig ufrit til den natur, de skildrede, og fortabte sig i detaljer. De manglede efter hans mening »en ideel Anskuelse af Naturen« – i modsætning til de tyske malere. Bag denne betragtning gemmer sig den kendsgerning, at Lundbye – trods al stræben mod det almene og generelle – alligevel holdt sig til den konkrete natur.[20]

På denne tid var Høyen blevet fortaler for den nationale sag, og han søgte aktivt at styre malerne i deres opfattelse af den danske natur. Da Lundbye i 1847 malede *Et boelsted ved Lodskov nær Vognserup* (fig. 30), sørgede han for i ét billede at samle alt det, der hørte til en sommerdag i det danske bondeland: modne kornmarker, en stråtækt gård, en sandet markvej, et piletræ, en græssende ko, nogle svaler, vildt voksende planter i vejkanten osv. Allerede i samtiden blev Høyen af en kunstanmelder udpeget som billedets åndelige fader (ligesom det var tilfældet med Skovgaards maleri af Delhoved Skov, kat.nr. 58).[21] I forhold til sine tidligere malerier var Lundbye rykket et skridt nærmere landboerne og deres hverdag, og det havde sin forklaring. I 1844 holdt Høyen nemlig et berømt foredrag, hvor han fremførte, at det var et lands historie, snarere end dets natur, der var bestemmende for folkets nationalkarakter, og at malerne derfor burde stræbe efter at skildre den nationale mytologi og historie; som forberedelse hertil skulle de opsøge og studere de fjerntboende landboere og fiskere, der endnu havde bevaret de gamle skikke og traditioner. Et nyt levedygtigt nationalt historiemaleri kom der dog ikke ud af Høyens opfordring (kun et enkelt, ikke særlig vellykket forsøg fra Constantin Hansens side), men han kom i stedet til at give startskuddet til det nationalromantiske folkelivsmaleri, der blev indvarslet med Jørgen Sonnes almuebilleder (fig. 31), og som i høj grad kom til at dominere 1850'ernes og 60'ernes danske malerkunst med idylliserede skildringer af landalmuens liv.

Høyens nationale linie sejrede i det danske kunstliv, men konsekvensen var en kunstnerisk isolation, der berøvede dansk kunst den vitale kontakt til udlandets

Fig. 31. Jørgen Sonne: *Sankt Hans Nat. De syges søvn på Helenegraven ved Tisvilde.* 1847. Statens Museum for Kunst.

kunst, og som varede fra 1850'erne helt til slutningen af 1870'erne.

Hermed var den danske guldalder forbi. Man kan med god ret hævde, at den sluttede i 1848. Ikke så meget på grund af afskaffelsen af enevælden og indførelsen af folkestyre eller udbruddet af den slesvig-holstenske krig. Men dette år døde flere af de betydeligste kunstnere (Rørbye, Købke og Lundbye), mens andre helt, eller næsten helt, ophørte med at skabe kunst (Eckersberg, C. A. Jensen, Sødring og Dreyer), og i dette år blev forbindelsen til flere af de holstenske malere så godt som afbrudt (heriblandt Ditlev Blunck). De malere, der levede videre og fortsatte deres virke i København, ændrede næsten alle udtryksform (Constantin Hansen, Roed og til dels også Skovgaard og Marstrand), og på samme tid trådte de unge folkelivsmalere frem med deres nye kunstneriske idealer.

Den virkelighedsopfattelse, som blev varslet med Eckersbergs romerske prospekter, kom til at præge dansk kunst i tre årtier. Trods stemningsskiftet i 1840'erne med de nationale strømninger var det alligevel den samme grundholdning, der kendetegnede hele perioden. Men med det nationalromantiske folkelivsmaleri forsvandt den tilknytning til kunstnernes egen hverdag og egne erfaringer, der var gået som en rød tråd gennem guldaldermaleriet.

NOTER

Generelt henvises dels til min bog, *Hverdagsbilleder. Dansk guld-alder – kunstnerne og deres vilkår*. København. 1989, dels til litteraturen anført under de enkelte katalognumre. For de fulde titler på litteraturen, jævnfør litteraturlisten.

1. Ang. det københavnske Kunstakademis ældste historie, jf. Saabye, 1986-87 & Monrad, 1986-87.

2. Om idégrundlaget for Eckersbergs kunst, jf. E. Fischer, »Eckersbergs harmoniske univers« i København, 1983 (b), 7-16; genoptrykt i Fischer, 1988, 42-58.

3. Jf. Hjort, 1817, 463f.

4. Af de her nævnte malere er det kun Friedrich, der med sikkerhed har været både kendt og beundret af de danske malere, jf. K. Monrad i København, 1991, specielt 71-114.

5. Vedr. forholdet mellem den danske og tyske malerkunst, jf. Monrad, 1989, 103-109 og Monrad, 1994.

6. Jf. Gunnarsson, 1989, 38f & J. Gage i Trento, 1993, 128f, kat. nr. 41.

7. Om Kunstakademiet i første halvdel af det 19. århundrede, jf. Monrad, 1989, 78-88.

8. Jf. *Literatur-, Kunst og Theater-Blad*, 24. april 1824.

9. Jf. N. L. Høyen i tillæg til *Dansk Kunstblad*, III, nr. 13, den 12. maj 1838; her citeret efter Høyen, 1871-76, I, 85.

10. Jf. Wiborg, 1841, 30.

11. Vedr. indkøbene til Den kongelige Malerisamling, jf. Monrad, 1989, 93-96.

12. Citeret (og oversat fra tysk) efter brev fra Carl Goos til H.W. Bissen, dateret København den 5. maj 1824 (Det kongelige Bibliotek, NKS 3341). Jürgen Hoppmann, Kaltenkirchen, har venligt henledt min opmærksomhed på dette brev.

13. Citeret efter Raffenberg, 1871-72, 6.

14. Opblomstringen kan aflæses af det stigende antal værker på udstillingerne på Charlottenborg, jf. Monrad, 1989, 88-91, tavle VIII.

15. Jf. Monrad, 1989, 129f.

16. Jf. Nykjær, 1991, 86, fig. 44.

17. Citeret efter Faaborg, 1981, 127 & *Dansk Kunstblad*, II, 11. februar 1837, sp. 177 f; jf. Monrad, 1989, 167.

18. Jf. Monrad, 1989, 194-96 & B. Jørnæs i København & Århus, 1990, 186f, kat. nr. 58-60.

19. Lundbyes dagbog den 24. marts 1842, citeret efter Lundbye, 1967, 47.

20. Jf. K. Monrad i København, 1991, 104-107, kat. nr. 114.

21. Jf. Monrad, 1989, 263-65.

Nicolai Abraham Abildgaard   1743-1809

Abildgaard var nyklassicismens mest fremtrædende maler i Danmark, og han var den sidste, der helt og holdent helligede sig historiemaleriet. Hans fabulerende og idealiserede kunst står i skarp kontrast til guldalderens virkelighedsskildring.

Abildgaard kom forholdsvis sent i gang med kunstneruddannelsen. Han arbejdede som malersvend, inden han omkring 1764 blev indskrevet på Kunstakademiet. Til gengæld vandt han allerede 1767 den store guldmedalje. Sideløbende hermed asssisterede han den svensk fødte maler Johan Mandelberg, bl.a. med malerier til Fredensborg Slot. I 1772 fik han akademiets rejsestipendium og tog til Rom, hvor han specielt studerede antikkens skulptur og Michelangelos kunst, og hvor han kom han til at indgå i det frodige, internationale kunstmiljø, der bl.a. omfattede den svenske billedhugger Johan Tobias Sergel og den schweizisk-engelske maler Johann Heinrich Füssli. I de følgende år var der i flere tilfælde et udtalt slægtskab mellem Füsslis og Abildgaards kunst, skønt der kun i et enkelt tilfælde kan påvises direkte påvirkning mellem dem. Den danske maler har i Rom formodentlig også mødt franskmanden Jacques-Louis David, hvis oppositionelle holdning til hjemlandets enevældige styre han delte. Abildgaards hovedværk i Rom var maleriet *Den sårede Filoktet* (kat.nr. 1). I 1777 rejste Abildgaard til Paris, men fattede ikke interesse for den samtidige franske malerkunst. I 1778 var han tilbage i København og blev samme år udnævnt til professor ved Kunstakademiet. Samtidig modtog han bestilling på ti store malerier til Christiansborg Slot, dog ikke med motiver fra den ældre danske historie, som han havde håbet, men fra den siddende kongeslægts historie. 1778-91 udførte Abildgaard ti store malerier for kongen. Da han i 1791 nåede frem til den ældste historie, blev projektet indstillet, til hans store fortrydelse. Abildgaards litterære interesser blev ikke tilfredsstillet gennem kongemalerierne, og sideløbende hermed udførte han en lang række malerier for sin egen skyld – ofte voldsomme og dramatiske scener hentet fra forfattere som Shakespeare, Voltaire, Ossian, Homer og Saxo Grammaticus. Det var her, hans mere rebelske holdninger kom til udtryk (han fulgte med stor interesse den franske revolution). Flertallet af disse malerier blev ikke udstillet i Abildgaards levetid. I 1794 brændte Christiansborg, og kun tre af Abildgaards store malerier blev reddet, men motiverne kendes fra de bevarede olieskitser. I de følgende år var Abildgaard især beskæftiget med interiørudsmykning, først og fremmest af arveprinsens bolig i kongefamiliens nye residens Amalienborg (med den unge Bertel Thorvaldsen som medhjælper) og et borgerhus på Nytorv i København (med billeder fra Voltaires tragedie *Triumviratet*).

Omkring år 1800 skete et markant omsving i Abildgaards kunst. Han helligede sig nu udelukkende den antikke emnekreds, og samtidig fik motiverne

Nicolai Abraham Abildgaard.
Malet af Jens Juel. Ca. 1771-72.
Det Nationalhistoriske Museum på
Frederiksborg.

en let, humoristisk og ofte erotisk karakter. Væk var både tragedie og oprør. Da han nu blev opfordret til at male en ny serie nationalhistoriske billeder til det nye kongeslot, havde han mistet interessen og fik kun udført en enkelt skitse inden sin død.

Abildgaard var en menneskesky, indesluttet mand, og hans kunst blev kun værdsat af en snæver kreds. Efter hjemkomsten til Danmark i 1778 mistede han – meget mod sin vilje – forbindelsen til udlandets kunstliv, bortset fra den svenske ven Sergel. Abildgaard var noget nær enerådende som historiemaler i Danmark hele sit liv, og kun i få tilfælde synes han at have ydet sine elever større støtte – med billedhuggeren Thorvaldsen som den lysende undtagelse. Eckersberg har således næppe stået på nær fod med sin lærer. Abildgaards drømmeverden levede ikke videre efter hans død. Til gengæld fik hans antikinspirerede møbelkunst betydning for flere af guldalder-kunstnerne.

1 Den sårede Filoktet. (1775)

Olie på lærred. 123 x 173,5 cm.
Betegnet f.n.t.h.: *N. Abildgaard malet i Rom.* Inskription (på græsk) på klippen:
Nikolai, Sørens søn, københavneren, lavede [billedet]
Købt 1849 af boet efter malerens enke. Inv.nr. 586.

Maleriet viser den græske helt Filoktet, der er blevet bidt i foden af en slange
og krymper sig sammen, mens han uhæmmet giver luft for sin smerte. Han
var egentlig taget af sted sammen med de øvrige græske krigere for at deltage
i krigen mod Troja, men da hans kammerater ikke kunne holde hans skrig
og stanken fra slangebiddet ud, efterlod de ham alene på øen Lemnos. Her
blev han indtil grækerne erkendte, at de ikke kunne klare sig i kampen uden
hans hjælp, især fordi han havde arvet Herakles' bue, der aldrig forfejlede sit
mål. Så hentede de ham, og han var med til at vinde krigen for grækerne.

Abildgaard valgte motivet til billedet under sit ophold i Rom, og med det
trådte han frem som en moden kunstner og placerede sig på linie med sine
internationale jævnaldrende fra nyklassicismens *Sturm und Drang*-genera-
tion. Det er en kraftpræstation af et billede, præget af en heftig, næsten vold-
som energiudladning. Dette skyldes ikke blot anspændelsen i Filoktets krop
og lemmer og det flagrende hår, men også den overvældende virkning, figu-
ren gør, fordi han fylder hele billedet ud, så han ville sprænge alle rammer,
hvis han rettede sig ud.

Abildgaard har selv angivet de tre antikke forfattere Aiskylos, Sofokles og
Euripides som inspiration, men ideen til motivet har han snarere fra G. E.
Lessing, der i skriftet *Laokoon* fra 1766 gik i rette med J. J. Winckelmanns op-
fattelse af »en ædel enfolfighed og en tyst storhed« i antikkens kunst og i ste-
det fremhævede lidelsen og lidenskaben. Med sit billede sluttede Abildgaard
sig til Lessings opfattelse – han korrigerer den endog ved at lade Filoktets
ansigt forvrænges i et skrig. Hermed placerede Abildgaard sig centralt i tidens
aktuelle kunstdebat. Denne tolkning, der blev fremsat i 1967 af Robert Ro-
senblum og i 1975 af Erik Fischer, har vundet almindelig accept. Meïr Stein
har dog foreslået, at maleriet skulle være en moderne version af den antikke
græske maler Parrhasius' billede af Filoktet, og at Abildgaard skulle have fået
inspiration fra den engelsk-irske kunstforfatter Daniel Webb, eventuelt for-
midlet af den schweizisk-franske maler Julien de Parme. Tidligere var det en
udbredt opfattelse, at billedet var et camoufleret selvportræt, hvilket er blevet
fremført af bla. Elsa Gress. Men det beror på en fejllæsning af den græske
inskription på klippen og ville i øvrigt være en foregribelse af den modgang,
Abildgaard først mødte senere i livet.

Den kunstneriske inspiration til Filoktet synes Abildgaard at have fået hos Michelangelo, Annibale Carracci og ikke mindst i den antikke skulptur kaldet Belvederetorsoen. Der er flere påfaldende paralleller til J. L. Davids maleri *Patrokles* fra 1779 (Musée Thomas Henry, Cherbourg): det næsten identiske format, motivvalget (en såret græsk helt) sceneriet, den nøgne mands muskuløse krop og flagrende hår. Hvis der er tale om kunstnerisk påvirkning mellem dem, har den gået fra danskeren til franskmanden (se kataloget til udstillingen *Mellem guder og helte*. Statens Museum for Kunst, 1990).

2 Slaven Davus søger forgæves at overbevise Pamphilus' fader om, at det er Pamphilus, der er fader til det barn, som pigen fra Andros netop har født. 1801

Olie på lærred. 157,5 x 128,5 cm.
Betegnet forneden t.v.: *N. Abildgaard 1801*
Købt 1849 af boet efter malerens enke. Inv.nr. 589.

Motivet er et dramatisk højdepunkt i den antikke digter Terents' komedie *Pigen fra Andros*. Den handler om to unge elskende, der må overvinde mange forhindringer, før deres kærlighed bliver accepteret. Den unge mand Pamphilus elsker pigen fra Andros, kaldet Glycerium, men hans fader ønsker ham gift med sin vens datter. Pamphilus får hjælp af sin maskeklædte slave, der her prøver at forklare faderen, at hans søn har fået et barn med den pige, han elsker. Men selv ikke de mest håndfaste tegn – spædbarnegråd og jordemoderens afskedsråd – får ham til at tro på, at det nyfødte barn ikke er opspind. Først til sidst viser det sig, at Pigen fra Andros er en bortkommen datter til Pamphilus' faders ven, så det ender med, at både fader og søn får deres vilje.

Maleriet er ét ud af en serie på fire store billeder, som Abildgaard udførte i årene 1801-04 som bryllupsgave til sin anden hustru, og som blev opsat i hans bolig på Charlottenborg. Teaterstykket skal angiveligt foregå i Athen, men billederne viser malerens egen idealby med en blanding af virkelig og konstrueret antik arkitektur. Abildgaard havde aldrig været i Athen og støttede sig derfor til grafiske gengivelser af byens antikke bygningsværker, suppleret med hans egne indtryk fra Italien. Endvidere har han støttet sig til renæssancens perspektivregler – i dette maleri til den italienske arkitekt Sebastiano Serlios anvisning på, hvordan man konstruerer et gadebillede i perspektiv. Herudover har han grundigt studeret illustrationerne i forskellige udgaver af Terents' komedie, udgivet i første halvdel af 1700-tallet.

Dette maleri er det første af de fire billeder, Abildgaard fik fuldført, mens det sidste ikke blev gjort færdigt før tre år senere, i 1804. Men allerede i 1802 var arbejdet så langt fremskredet, at forfatteren August Hennings kunne danne sig indtryk af alle malerierne, da han i september måned besøgte Abildgaard i hans atelier.

Billederne er enestående i Abildgaards produktion af to grunde: For det første har han lagt langt større vægt på skildringen af omgivelserne, end han før havde gjort – landskabsskildringen i baggrunden er helt ny i hans kunst – og han har indført en naturlig belysning med sollys, der kaster skygge. For det andet indeholder billederne en række sidemotiver, dvs. hverdagsoptrin, der kan trække opmærksomheden væk fra hovedmotivet – i dette tilfælde en omstrejfende hund og en hestevogn i det fjerne. Begge dele er aspekter, der peger fremad mod den egentlige guldalderkunst.

Jens Juel 1745-1802

Jens Juel står som den maler, der brød med rokokoen, og med sin elegante, men også nøgterne virkelighedsskildring indvarsler han guldalderen. Han var den mest fremtrædende danske portrætmaler i det sene 1700-tal, men fik også betydning som landskabsmaler.

Juel blev født på Fyn og fik sin første uddannelse i handelsbyen Hamburg, hvor han opholdt sig i årene 1760-65. Hermed fik han et andet udgangspunkt for sin kunst end sine samtidige, nemlig den realistiske tradition, der udgik fra det hollandske 1600-tals maleri. Han var nærmest udlært, da han omkring 1765-66 kom til København, men han indskrev sig alligevel på Kunstakademiet, hvor han fulgte undervisningen til 1772. Året inden vandt han den store guldmedalje og blev dermed berettiget til akademiets store rejsestipendium. Sideløbende med studierne var han travlt optaget som portrætmaler. I starten var hans kunder velhavende borgere, og hans malerier fra denne tid ligger med deres realisme stilistisk i forlængelse af hans arbejder fra Hamburg. Juels kunst vakte imidlertid snart så stor opmærksomhed, at han omkring 1770 var godt på vej til at blive adelens foretrukne portrætmaler. Juel viste nu sin store evne til at tilpasse sig de kunstneriske krav, der blev stillet til ham, og hans portrætter blev påvirket af de sene udklange af rokokoen, som fortsat blev dyrket i Danmark. I 1769 sad et af kongehusets medlemmer – dronning Caroline Mathilde – første gang som portrætmodel for ham. Da Juel i 1772 endnu ikke kunne få udbetalt akademiets rejsestipendium, trådte »en kreds ved hoffet« sammen og financierede hans rejse.

I efteråret 1772 rejste han af sted mod Rom, men undervejs gjorde han ophold i Hamburg i 1772-73 og i Dresden i 1773-74. Først i efteråret 1775 nåede han Rom, og dér har han sandsynligvis med interesse set Pompeo Batonis portrætter. I juli 1776 rejst Juel til Paris, hvor han blev til begyndelsen af 1777. Dette år besluttede han at lægge vejen over Genève på hjemrejsen, men opholdet i Schweiz kom til at vare næsten 3 år. Det fik skelsættende betydning for Juels kunst. Han blev optaget i kredsen omkring naturforskeren Charles Bonnat og blev påvirket af den særlige schweiziske naturdyrkelse. Juels portrætmodeller blev nu rykket ud af de tidligere diffuse, let tågede omgivelser og placeret i naturen, og hans landskaber blev præget af en mere direkte naturiagttagelse. I efteråret 1779 forlod Juel Schweiz og vendte hjem til København det følgende forår. I 1782 blev han medlem af Kunstakademiet. Efter hjemkomsten fik Juel en enorm søgning af kunder og var nu landets førende portrætmaler. Næsten alle modeller kom fra adelen og kongehuset, og først under 1790'ernes økonomiske opblomstring begyndte han igen at portrættere de mest velhavende borgere. Under indtryk af påvirkningerne fra udenlandsrejsen og af den tiltagende borgerliggørelse af det danske samfund gjorde en stadig større realisme sig gældende i hans kunst. Juel

Jens Juel. Selvportræt med hans hustru Rosine. 1791. Statens Museum for

underviste på Kunstakademiet fra 1784, fra 1786 som professor. Han fik en lang række assistenter, men ingen betydelige elever, bortset fra de to tyske romantiske malere Caspar David Friedrich og Philipp Otto Runge, der var i København henholdsvis 1794-98 og 1799-1801.

4 En løbende dreng. 1802

Olie på lærred. 180,5 x 126 cm.
Oprindelig betegnet på bagsiden: *J. Juel 1802*
Købt 1923. Inv.nr. 3635.

Den unge adelsmand, kammerjunker Marcus Pauli Holst von Schmidten, ses løbende på vej til sin skole, som skimtes i baggrunden. Drengeskikkelsen er på én gang afbalanceret og i bevægelse. Det er et af de få eksempler på en figur, der er skildret i bevægelse, fra Juels modne kunst. Maleriet har ligesom flere andre af Juels sene arbejder et vist klassisk præg. Det har ført til sammenligning med J. L. Davids portrætkunst, uden at et førstehåndskendskab til franskmanden dog har kunnet påvises. Til gengæld kan Juel være blevet introduceret til engelske portrætter gennem vennen, kobberstikkeren J. F. Clemens, der var i London 1792-95. En stikgengivelse efter Gilbert Stuart's *Skøjteløberen* (National Gallery of Art, Washington) kan have været inspirationskilde til dette billede, sådan som Ellen Poulsen har foreslået. Landskabet omgiver ikke drengen, men danner udelukkende baggrund, hvilket er med til at gøre billedet reliefagtigt.

Det er ikke tilfældigt, at Juel har valgt at vise drengen løbende, da hans skole ikke var nogen almindelig skole, men Christianis Institut, der lå uden for København i landlige omgivelser på Vesterbro. Her blev der udført en pionerindsats for at give børn mulighed for at dyrke leg og gymnastik i det fri. Legepladsen var Danmarks første.

Christoffer Wilhelm Eckersberg 1783-1853

Eckersberg står som den kunstner, der brød med 1700-tallets idealiserende kunst og indførte en realisme, der på én gang var baseret på naturstudier og på klassiske kompositionsprincipper. Med ham indledtes guldalderen i dansk maleri. Han blev født i Blaakrog ved Als Fjord i hertugdømmet Slesvig. Efter den indledende undervisning i Aabenraa og Flensborg kom Eckersberg på akademiet i København i 1803. Han stræbte efter at blive historiemaler og blev elev af Abildgaard, men fik ikke noget nært forhold til denne; han modtog dog væsentlig påvirkning fra ham, bl.a. interessen for perspektivkonstruktion. Sideløbende med studierne leverede han tegnede forlæg for populære stik af hverdagsmotiver eller aktuelle begivenheder. Han begyndte også at dyrke landskabsmaleriet, og under stærk påvirkning fra Juel udførte han 1809-10 en række romantiske landskaber fra Møen. Eckersberg vandt den store guldmedalje i 1809, og året efter rejste han – som en af de meget få danske kunstnere på denne tid – til Paris, hvor han blev til 1813. I et år studerede han under periodens betydeligste franske maler Jacques-Louis David og blev skolet i dennes nyklassicisme, hvilket fik alt afgørende betydning for hans kunstneriske udvikling. Hans endelige modning som kunstner fandt dog først sted i Rom i årene 1813-16. Både i Paris og Rom kom byprospekter og arkitekturmaleri til at spille en væsentlig rolle ved siden af historiemaleriet. Efter hjemkomsten i 1816 fik Eckersberg straks al tænkelig anerkendelse: året efter blev han medlem af akademiet og fik overdraget den opgave på fire historiske malerier til Christiansborg Slot, som Abildgaard ikke fik udført før sin død (udført 1817-28, fire andre malerier til slottet udførtes 1837-41). I 1818 blev han professor ved Kunstakademiet, og i nogle få år var han også landets førende portrætmaler.

Efter 1820 kom landskabsmalerierne og prospekterne til at spille en mindre rolle for Eckersberg, mens marinemaleriet efterhånden blev hans foretrukne motivkreds. I forbindelse med undervisningen udførte han en række modelstudier, ligesom han malede landskabsskitser på de udflugter, han tog akademieleverne med på. I sine senere år blev Eckersberg mere og mere optaget af perspektivlære, og den kom til at indtage en særdeles central rolle i hans undervisning. Efterhånden begyndte han systematisk at opstille regler for rumkonstruktion og lys/skyggevirkninger. Dette arbejdede udmøntede sig først i hæftet *Forsøg til en Veiledning i Anvendelsen af Perspektivlæren for unge Malere* fra 1833 (genoptrykt 1973) og siden i afhandlingen *Linearperspektiven anvendt paa Malerkunsten* (1841, genoptrykt 1978), hvortil matematikprofessoren G. F. Ursin skrev teksten, og Eckersberg udførte raderinger af hverdagsmotiver som illustrationer. På denne tid tog Eckersberg genremaleriet op igen efter mange års pause, uden tvivl under påvirkning af sine elever.

Eckersberg var ingen visionær kunstner, men en mester, når det gjaldt

C. W. Eckersberg. Malet af C. A. Jensen. 1832. Statens Museum for Kunst.

skildringen af den synlige virkelighed. Både gennem sin kunst og sit virke som akademiprofessor kom han med sin nøgterne grundholdning til at bestemme udviklingen i dansk kunst, specielt i 1820'rne og 1830'rne.

5 Studie af nøgen kvindelig model. (1811?)

Olie på lærred. 30 x 26,3 cm.
Ikke betegnet.
Købt 1904. Inv.nr. 1820.

Maleriet af den unge nøgne kvindelig model er i sig selv ikke epokegørende, men det betegner ikke desto mindre en nyskabelse i dansk kunst. I elevtiden ved akademiet i København havde Eckersberg udelukkende *tegnet* efter model og vel at mærke kun efter *mandlig* model – kvindelige modeller var ikke tilladte af hensyn til sømmeligheden. I Paris fik han mulighed for også at male efter model og af begge køn. Sammen med nogle tyske malere, hvis navne ikke kendes længere, afholdt han sommeren 1811 private øvelser i modeltegning i »en slags Akademie«, som han kaldte det i et brev til sin faderlige ven kobberstikkeren J. F. Clemens, og fra 9. september 1811 til 20. oktober 1812 malede han efter model under Jacques-Louis Davids vejledning. Den franske mester havde et klart idealt sigte med sin undervisning – modellerne skulle gerne ligne antikke guder. Denne studie af den liggende nøgne kvindelige model er ikke dateret, men den vidner om den indgående, skarpe iagttagelse, som Eckersberg fik trænet i Paris, og det er derfor mest sandsynligt, at han udførte den i 1811 i det private »akademi«; han har ikke lagt fingrene imellem i skildringen af kvindens krop, hverken i de blå blodårer over ribbenene eller i de røde, arbejdsvante hænder.

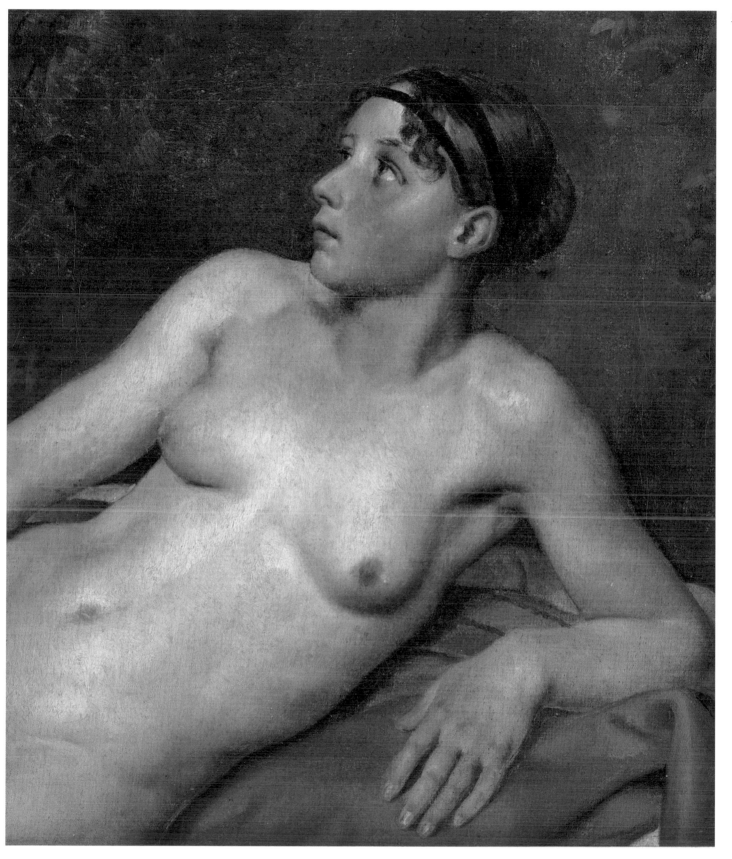

5

6 Odysseus' hjemkomst. (1812)

Olie på lærred. 60 x 72 cm.
Ikke betegnet.
Købt 1984. Inv.nr. 7256.

Billedet viser det øjeblik, da den hjemvendte antikke helt Odysseus bliver genkendt af den gamle amme Euryklea under fodvaskningen, og han holder hende for munden, for at hun ikke skal røbe, hvem han er, over for hustruen Penelope – han vil først finde ud af, om hun har været ham tro. Motivet er fra Homers *Odysseen*.

Maleriet blev sandsynligvis malet, mens Eckersberg var elev af David i Paris, og det sammenfatter hans indtryk af lærerens kunst, specielt hans store maleri *Brutus* (Louvre, Paris): det antikke rum med de svære søjler, vægtæpperne og gulvets fliser går igen i de to billeder, og også skildringen af figurerne er nært beslægtet. Imidlertid er der intet af den heroiske ånd fra Davids billede. Kompositionen er dog helt åbenlyst baseret på et af de antikke, såkaldte *Campana*-relieffer fra 1. årh.e.Kr. med samme motiv, som han har kunnet se i Paris. Som det blev påvist af Jan Stubbe Østergaard i 1991, står specielt Penelope i gæld til den antikke fremstilling. Eckersberg synes at have valgt motivet i foråret 1812, da emnet for den årlige prisopgave ved École des Beaux-Arts var *Odysseus' hævn på frierne*. Eckersberg deltog ikke i konkurrencen, men malede og tegnede flere motiver fra *Odysseen* på denne tid – en ufuldendt olieskitse af *Odysseus' hævn på frierne* (Hirschsprungs Samling) er dog først udført i Rom i 1814.

6

7 Udsigt fra Meudon Slot nær Paris. (1813)

Olie på lærred. 55,5 x 71 cm.
Ikke betegnet.
Købt 1899. Inv.nr. 1623.

Mod slutningen af opholdet i Paris udførte Eckersberg flere prospekter fra selve byen og fra dens omegn. Der var gerne tale om bestillingsarbejder til danske kunder, men maleren udførte dem tydeligvis også af interesse. Mens hans tidligere danske landskaber havde været præget af en udtalt romantisk stemning, er der intet af den tilbage i de franske billeder. Den saglighed og nøgternhed, der blev hans særkende, er nu slået igennem. Alt er præget af hans knivskarpe iagttagelsesevne. Men samtidig har han bragt sine billeder i overensstemmelse med de klassiske foreskrifter inden for landskabsmaleriet. I dette tilfælde har han ladet en mur og nogle træer indramme udsigten, ligesom han har betragtet motivet i modlys, ganske som Claude Lorrain gjorde. I modsætning til den franske 1600-tals maler har han dog ikke malet et ideallandskab, men et konkret landskab fra Paris' omegn, tidløsheden er erstattet af samtidighed, og i stedet for arkadiske hyrder eller mytologiske skikkelser ses nogle af datidens parisere på udflugt.

Der er flere påfaldende overensstemmelser mellem dette maleri og den franske maler P. A. Chauvins *Grottaferrata ved Albanerbjergene* fra 1811 (Thorvaldsens Museum). Dette billede befandt sig imidlertid allerede dengang i Thorvaldsens kunstsamling i Rom, men danskeren kan have set lignende billeder af Chauvin i Paris. Senere, under sit ophold i Rom, gav han udtryk for stor beundring for den franske maler.

7

8 Porta Angelica og en del af Vatikanet. (1813)

Olie på lærred. 31,7 x 41,3 cm.
Betegnet (med fremmed hånd) på bagsiden af lærredet: *C. V. Eckersberg Rom 1814*
Købt 1986. Inv.nr. 7383.

Det er et af de mest betydningsfulde bygningskomplekser i Rom, Eckersberg har gjort til motiv for dette maleri, nemlig Vatikanpaladset. Men det er betragtet på afstand og fra en ikke særlig bemærkelsesværdig vinkel, med Porta Angelica i forgrunden af billedet. Valget af motiv og synsvinkel er ganske typisk for flertallet af de mange prospekter, Eckersberg udførte i Rom. Billedet er formodentlig det første af disse. Den 29. september 1813 noterede han i sin dagbog: »Tegnet Prospect af Vaticanet«, og ved den lejlighed udførte han formodentlig kompositionstegningen til billedet (privateje). I den følgende tid blev selve maleriet sandsynligvis til. I kompositionen har han arbejdet med sine foretrukne virkemidler: de markante diagonaler, der skaber dybde i billedet, og som afbalanceres af de mange lodrette linier og dermed giver billedfladen en klar struktur. Alle detaljer er skildret med stor præcision, bortset fra forgrundens græs, som tydeligvis ikke er malet færdigt. Billedet er mærkeligt menneskesomt, men vi véd ikke, om Eckersberg egentlig havde tænkt sig at føje figurer ind i billedet. Det hele er badet i det stærke romerske sollys, og billedet har fået en lysende klarhed, der er nærmest uden sidestykke i hans kunst. Denne virkning skyldes ikke kun, at maleriet ikke er fuldendt – det synes kun at være forgrunden og muligvis også himlen, der ikke er malet færdig.

Kompositionens elementer blev fastlagt allerede i tegningen og overført stort set uden ændringer til maleriet. Der er dog én lille, men væsentlig justering af motivet: Bygningen med det stejle tag til venstre for porten rager i tegningen op og bryder den vandrette linie, der skabes af Vatikanpaladset. Men i maleriet er taget sænket, så linien nu får lov til at løbe ubrudt. Den lange vandrette linie er derved kommet til at danne modvægt til billedets diagonaler. Denne justering siger ikke så lidt om Eckersbergs kunst. Nok hengav han sig til virkeligheden, som han så den; men han bearbejdede den og rettede den ind efter sine kompositionsprincipper. Han holdt sig dog altid til, hvad han vitterlig så på det pågældende sted.

Maleriet bærer på bagsiden dateringen »1814«, men påskriften skyldes ikke maleren selv. Det forblev i Eckersbergs eje til hans død og blev ikke udstillet offentligt, mens han levede. I kataloget til hans dødsboauktion blev det dateret til 1813.

Porta Angelica opførtes i 1563 og blev revet ned i 1888, da den nuværende plads, Piazza Risorgimento, blev anlagt.

8

9 Parti i Villa Borgheses have i Rom. (Ca.1814)

Olie på lærred. 28,0 x 32,5 cm.
Ikke betegnet.
Købt 1888. Inv.nr. 1310.

I Villa Borgheses have har Eckersberg malet et udsnit af den akvadukt, som var opført 1776-78 for at kunne føre Aqua Felice-akvaduktens vand ind til parkens mange fontæner. Maleriet blev formodentlig til i sommeren 1814, og netop på den tid, i juli måned, skrev Eckersberg til kobberstikkeren J. F. Clemens, at han ønskede at udføre »en Samling af de skjøneste af de mange Maleriske Partier af Rom og Omegnen«, og han nævnte, at han i løbet af foråret havde udført henved ti »smaa Skizer«. Umiddelbart kunne man måske få det indtryk, at det var hans hensigt at skildre de mest kendte bygninger og udsigter. Men dette billede dementerer den opfattelse. Det viser et motiv, som de færreste dengang bemærkede, og i den henseende er det ganske typisk for flertallet af de romerske prospekter. Bortset fra nogle få billeder, der nærmest har karakter af turistprospekter, udmærker malerierne sig – påfaldende nok – ved, at Eckersberg med flid har undgået de hyppigst skildrede motiver. Når han malede en af de mest kendte bygninger, er den gerne set fra en ny og uventet synsvinkel. Snævre motivudsnit og skæve vinkler præger billederne. Der er imidlertid også nogle bemærkelsesværdige udeladelser. Han er gået helt uden om højrenæssancens og barokkens arkitektur. Til gengæld har Eckersberg haft forkærlighed for bygninger, der var præget af enkelhed og var uden overdådig udsmykning, først og fremmest antikkens ruiner og middelalderens kirker og klostre. Men altså også et nyklassicistisk bygningsværk, som det ses her.

Eckersberg kaldte billederne for »Skizer«, og der da også tale om malerier af små formater. Dette kunne måske forlede nogen til at tro, at det drejer sig om spontant malede skitser. Men alle malerierne er tværtimod gennemarbejdede til mindste detalje, og der er intet skitseagtigt over dem, og heller intet tilfældigt.

I brevet til Clemens betonede Eckersberg, at malerierne »alle ere malte færdige paa Stedet efter Naturen«. Her har han faktisk taget et epokegørende skridt. Indtil da havde landskabsmalerne altid *malet* hjemme i atelieret og måske til nød *tegnet* udendørs. Men som den første danske maler gjorde Eckersberg det til sin praksis først at udføre en tegning af motiverne på stedet og derpå male undermalingen hjemme i atelieret. Han vendte så tilbage og malede billederne færdig foran motiverne. Hermed var der åbnet mulighed for en langt mere direkte iagttagelse af naturen. Specielt sollyset og skyggerne skildrede Eckersberg med en hidtil uset konsekvens.

9

Til dette maleri findes en tegnet kompositionsskitse, dateret 1814 (Den kongelige Kobberstiksamling). Det blomstrende træ er bestemt som en catalpa, der i Rom blomstrer i juli-august, hvilket sandsynliggør en datering sommeren 1814. Altså netop på den tid, da han begyndte at male udendørs, som Hans Edvard Nørregård-Nielsen foreslog i 1982.

Inskriptionen på akvadukten lød oprindelig: »NE QVEM MITISSIMUS AMNIS IMPEDIAT« [»For at den stadige strøm ikke skal spærre vejen for nogen«]. Akvadukten blev ødelagt ved et bombardement i 1849, mens muren til venstre stadig står.

10 Udsigt gennem tre buer i Colosseums tredie stokværk. (1815 eller 1816)

Olie på lærred. 32 x 49,5 cm.
Ikke betegnet.
Købt 1911. Inv.nr. 3123.

Under den sidste del af Eckersbergs ophold i Rom var Colosseum hans fore-trukne romerske motiv, og i 1815-16 malede han en række motiver derfra. De fleste af dem viser ruinens indre, gerne i et så bredt udsnit, at man får indtryk af bygningens karakter og bevaringstilstand. Til gengæld har han ikke i noget billede givet et helhedsindtryk af dens ydre. I enkelte tilfælde har han benyttet Colosseums buer som ramme omkring en udsigt – mest virknings-fuldt i dette maleri. Her er han på én gang gået helt tæt på motivet og har vist et for ham usædvanligt vidt panorama. Skildringen af den antikke byg-nings medtagne murværk viser Eckersbergs skarpe iagttagelsesevne. Ingen revne eller plante mellem stenene har undgået hans blik. Det hele er nøg-ternt registreret. Forgrunden er forholdsvis bredt malet, og der er opstået en nærmest paradoksal modsætning mellem forgrunden og den uhyre minu-tiøst malede baggrund – der er et »omvendt« perspektiv, der antyder, at ma-leren kan have benyttet en kikkert, mens han malede baggrunden. Forgrun-dens yderst begrænsede rum og de tre buers strenge klassiske opdeling af bil-ledet skal uden tvivl ses som påvirkning fra Eckersbergs franske lærer David. Specielt giver kompositionen mindelser til dennes hovedværk *Horatiernes ed* (Louvre, Paris).

Maleriet betragtes gerne som et af Eckersbergs mest originale arbejder fra Rom. Men Torsten Gunnarsson har påpeget, at flere samtidige kunstnere har benyttet lignende virkemidler, når de malede eller tegnede i Colosseum, først og fremmest François Granet i en tegning (Musée Granet, Aix-en-Pro-vence).

Det er tre af de nordvestlige buer i det tredie stokværk, Eckersberg har malet. Da han lod billedet udstille i 1828, angav han selv baggrundens byg-ninger: »Gjennem Buen til venstre sees de fremragende Ruiner af Fredens Tempel [dvs. Maxentius' basilika], og bag den, Kirken Maria in Ara Celi i det Fjerne. Gjennem den mellemste Bue sees det saakaldte Neros Taarn (opført i det 13de Aarh.)[dvs. Torre delle Milizie] ved Foden af Quirinalbjerget, og endnu længer tilbage øines Paladset paa Monte Cavallo. Ligefor Buen til høj-re ligger Kirken St. Pietro in Vincoli i Nærheden af Titus' Bade.«

Maleriet forblev i Eckersbergs eje til hans død.

10

11 Julie Eckersberg, kunstnerens anden hustru. (1817)

Olie på lærred. 31,5 x 27,5 cm.
Ikke betegnet.
Testamentarisk gave fra kunstnerens døtre 1903. Inv.nr. 1763.

Eckersberg har her malet sin hustru Julie i juli 1817, få måneder efter deres bryllup, da hun ventede deres første barn. Det viser, at selv i malerier af helt privat karakter lagde maleren den sædvanlige, næsten nådesløse realisme for dagen. Den rødmossede, lidt buttede kvinde er skildret nærmest, som gjaldt det en videnskabelig registrering af hendes udseende. Kun hendes indtrængende, ømme blik røber det intime forhold mellem maler og model. Denne kompromisløshed svarer til den holdning, J. L. David lagde for dagen i sit portræt af sin hustru fra 1813 (National Gallery of Art, Washington), et maleri, Eckersberg muligvis har set.

Julie Eckersberg (1791-1827) var datter af maleren Jens Juel, men Eckersberg mødte aldrig sin svigerfader, da han først kom til København året efter dennes død i 1802. Han fik dog kontakt med Juels enke allerede inden udenlandsrejsen, og efter hjemkomsten i august 1816 genoptog han forbindelsen. Den 8. februar 1817 giftede han sig med Julie. Det var hans andet ægteskab. Han havde levet papirløst sammen med Christina Rebekka Hyssing, der var moder til kobberstikkeren Erling Eckersberg (1808-1889), og de blev gift i 1810 få dage før hans afrejse til Paris. Under hans fravær var hun kommet i pengebeknep og havde begået forskellige lovovertrædelser, og nogle af malerens velyndere sørgede for at ægteskabet blev opløst, inden han vendte tilbage til København. Efter Julie Eckersbergs død i 1827 giftede Eckersberg sig det følgende år med søsteren Suzanne.

11

12 Emilie Henriette Massmann. (1820)

Olie på lærred. 53,5 x 43,5 cm.
Ikke betegnet.
Købt 1950 med tilskud fra Ny Carlsbergfondet. Inv.nr. 4559.

Den unge kvinde ser mod betragteren med en vis kølig distance, der modsvares af de skarpt optrukne konturer i billedet. Maleriet er præget af en for Eckersberg usædvanlig fint afstemt kolorit, i modsætning til den temmelig brogede farveholdning, han gerne benyttede. Kvindens lyse hud og kjolens hvide og gule farver er nøje afmålt til hinanden og træder lysende frem mod den grå baggrund. For en gangs skyld er realismen veget for en klassisk iscenesættelse, der synes at røbe kunstnerens kendskab til fransk portrætkunst. Specielt antyder kvindens holdning og linieføringen i billedet påvirkning fra J. A. D. Ingres. Eckersbergs forhold til denne maler er ellers et af de dunkle punkter fra hans ophold i Rom. Skønt de to malere boede i nærheden af hinanden og må have mødtes, og skønt Eckersberg helt sikkert har set arbejder af Ingres, nævner danskeren overhovedet ikke den franske mester i sine breve og sin dagbog. Det er altså det franske præg, der fremhæves af de danske kunsthistorikere, men maleriet blev i 1988-89 vist på udstillingen *Kunst des Biedermeier* i München som et udsøgt eksempel på Biedermeier-maleriet.

Maleriet er et af de mange portrætter, Eckersberg udførte i årene efter 1816, hvor han var landets førende portrætmaler. Omkring 1826 tabte han imidlertid terræn til C. A. Jensen.

Den unge kvinde, Emilie Henriette Massmann (1798-1864), var forlovet med kammerjunker Wilhelm von Benzon, da de begge blev portrætteret af Eckersberg (pendanten tilhører også Statens Museum for Kunst). De blev gift i 1824.

12

13 M. L. Nathansons ældste døtre, Bella og Hanna. (1820)

Olie på lærred. 124,8 x 85,5 cm. Ikke betegnet.
Arv 1920 efter Hélène Rée. Inv.nr. 3498.

De to unge piger ses i en sparsomt udsmykket empire-stue med helt enkle paneler, vægfelter og møbler. Deres kjoler er så fint afstemt til værelsets farver, at man fristes til at tro, at Eckersberg har været med til at vælge deres tøj til billedet. Billedopbygningen og opfattelsen af personerne er præget af strenghed. Grupperingen af de to døtre – den ene *en face*, den anden i profil – kan skyldes påvirkning fra Thorvaldsens skulptur *De tre gratier* (1818-20), som billedhuggeren formentlig gjorde de første udkast til, endnu mens Eckersberg var i Rom. I begge tilfælde ses beslægtede kvindefigurer fra forskellig synsvinkel, som en »variation over et tema«. Også billedets ringe dybde, nærmest som et relief, kan skyldes påvirkning fra Thorvaldsen. Men det er også foreslået, at maleren bevidst har stræbt mod en gammeldags stil i billedet, og det skulle skyldes påvirkning fra den samtidige primitivisme i fransk og tysk malerkunst; Henrik Bramsen har således fremført, at danske adelsportrætter fra omkring 1600 kunne være forbillede for maleriet.

Pigerne var døtre af grosserer Mendel Levin Nathanson, en af malerens mest trofaste støtter i de unge år. Under Eckersbergs udenlandsrejse havde hans mæcen bestilt et stort religiøst maleri, *Moses lader Det røde Hav træde tilbage og faraos hær oversvømmes* (1815, Statens Museum for Kunst), og to mytologiske billeder med motiver fra Ovids beretning om Alkyone og Keyx (se kataloget til udstillingen *Mellem guder og helte*, Statens Museum for Kunst, 1990). Bestilleren modtog det førstnævnte, mens maleren kasserede de sidstnævnte. Nathanson bestilte i stedet for to store genreagtige portrætter, dels et familiebillede fra 1818 (Statens Museum for Kunst), dels dette portræt. Bestillerens ændrede interesse afspejler en generel ændring i tiden – de mytologiske og religiøse emner veg for skildringerne af den borgerlige virkelighed.

Et brev fra Eckersberg til Nathanson dateret den 18. april 1820 fortæller om maleriets tilblivelse og giver indtryk af den travle portrætmalers arbejdsvilkår: »Angaaende Maleriet af begge Deres ældste Døttre, da er det temmelig nær færdigt, og jeg skal ufortøvet skride til dets Fuldendelse. Lange eller korte Pauser imellem Seancerne kan umuligt skade Ligheden, saafremt Maleren ellers kun arbeider med Lyst. Jeg havde gierne fuldført dette Malerie forige Efteraar, men det blev forhindret og siden forige Nytaar har jeg for det meste ma[a]ttet arbeide paa det Kongelige Familiestykke [nu Rosenborg Slot], formedelst de mange Besøg og de underlige Domme over halvgiort Arbeide – hvori Maleren jo maae finde sig –«. Maleriet blev altså påbegyndt i 1819, og den 12. maj 1820 noterede Eckersberg i sin dagbog: »endt Portraiterne af begge ældste Jomfruer Nathanson«.

13

14 Studie af skyer over havet. (1826?)

Olie på lærred. 19,8 x 30,8 cm.
Ikke betegnet.
Gave fra Sofie Lofthus 1965. Inv.nr.6433.

Eckersberg begyndte i sommeren 1826 at interessere sig stærkere end tidlige-re for vejrforhold, og han gik i gang med at føre en særlig meteorologisk dag-bog, ligesom han udførte flere tegnede og malede studier af skyformationer. Denne nye interesse kan meget vel hænge sammen med, at Eckersberg om foråret havde mødt J.C. Dahl adskillige gange under dennes ophold i Køben-havn på vej fra Dresden til Norge. Af den norsk-danske maler har han utvivl-somt hørt om dyrkelsen af atmosfære, skyer og himle blandt kunstnerne og kunstteoretikerne i Dresden. Eckersberg har tillige studeret den netop ud-komne afhandling af videnskabsmanden J. F. Schouw *Skildring af Vejrligets Tilstand i Danmark* (udarbejdet som prisopgave 1323, udgivet 1826); den fulgte Luke Howards (og Goethes) klassifikation af skyer; i afhandlingen *Linearperspektiven* fra 1841 henviste Eckersberg direkte til Schouws værk. Eckersberg førte konsekvent sin meteorologiske dagbog fra den 30.juni 1826 til den 6. marts 1851.

Eckersbergs første studier af skyer – to tegninger – er dateret den 13. august 1826 (Den kongelige Kobberstiksamling), og ifølge dagbogen udførte han dernæst nogle malede »Skizzer af Luft og Skyer« i dagene 1., 3., 4. og 7. september samme år. Den her udstillede studie kan være udført på denne tid. Den viser nogle skyformationer over et hav og kan være tænkt som stu-die til et marinemaleri. Den er uden de dramatiske virkemidler, man finder i skystudier af Constable, Dahl og Købke, men er helt gennemarbejdet (bort-set fra havet) og klassisk afbalanceret.

14

15 En amerikansk orlogsbrig, der ligger for anker, mens sejlene tørres. (1831-32)

Olie på lærred. 40 x 55 cm.
Betegnet f.n.t.h.: *E. 1831.*
Købt 1963. Inv.nr. 6346.

Det er en helt stille dag. Havet er fuldstændig roligt, ikke et vindpust bevæger vandoverfladen eller skibets sejl. Hverken mændene, der laster skibet, eller folkene i den lille smakke forstyrrer øjeblikket ro. Eckersberg har skildret motivet, som var det en opstilling (stilleben), og tovværk, sejl og master på orlogsbriggen skaber en stram geometrisk komposition.

Billedet er et af de mange marinemalerier, Eckersberg udførte i årene efter 1821. I hans senere år, dvs. 1830'rne og 40'rne, var denne billedtype hans absolut foretrukne. Som marinemaler havde Eckersberg imidlertid ikke fundet sine forbilleder dér, hvor det måske kunne forekomme mest nærliggende, nemlig inden for det hollandske maleri fra det 17. århundrede. Inspirationskilden til hans mariner skal søges i populære stik. Som ung havde han tjent penge ved at levere grafiske forlæg til brugsgrafik, bl.a. nogle af de akvatinteraderinger, som kontoristen og kobberstikkeren Niels Truslew udgav i 1805, og hvor en række skibstyper blev vist i forskellige stillinger i søen. Det, Eckersberg herved blev oplært til, var at udføre *skibsportrætter*, og det var en udbredt tradition fra det 18. århundrede, han kom til at følge. Her var kravet om en korrekt skildring af alle detaljer på skibene vigtigere end alt andet, og det krav stillede Eckersberg også til sig selv. I flere tilfælde fremskaffede han konstruktionstegninger af de skibe, han skulle male, som støtte under udførelsen. I dette maleri er de to skibe placeret på nogenlunde samme måde som i de grafiske blade. Det mest interessante af de to er naturligt nok betragtet parallelt med billedfladen, så tovværk, sejl og master kommer til deres ret.

Først Theodor E. Stebbins og dernæst Torsten Gunnarsson har påpeget flere påfaldende paralleller mellem Eckersbergs billede og malerier af samtidige amerikanske landskabsmalere som Robert Salmon og Fitz Hugh Lane. Ikke bare kompositionen, men også lyset er beslægtet i deres billeder. Der har dog ikke været kontakt mellem danskeren og amerikanerne.

Eckersberg udførte maleriet omkring årsskiftet 1831-32, og det må derfor være baseret på studier gjort om sommeren. Sejlføringen, men ikke skibet, er overtaget fra en tegning fra 1830 (Den kongelige Kobberstiksamling).

15

16 Langebro i måneskin. (1836)

Olie på lærred. 45,5 x 33,5 cm.
Ikke betegnet.
Købt 1985 med tilskud fra Ny Carlsbergfondet og Statens Museumsnævn.
Inv.nr. 7284.

På en nat, hvor månen skinner fra en næsten skyfri himmel, kommer nogle mennesker løbende hen ad Langebro i København, lige mod billedets betragter. De ser og peger mod noget, der foregår uden for billedet, men hvad det er, får man ikke at vide. Det kan være en ildebrand eller en druknet i havnebassinet eller noget helt tredie, men det er overladt til betragterens fantasi. Det afgørende i billedets fortælling er netop, at man får vakt nysgerrigheden uden at få den stillet. Denne fortælleform er temmelig usædvanlig i periodens mange hverdagsfremstillinger. Sædvanligvis fortælles en historie med en klar pointe. Eckersberg selv benyttede dette specielle virkemiddel i flere andre sene arbejder, men ellers er maleriet temmelig enestående i denne henseende, ikke kun i dansk sammenhæng, men i europæisk.

Den mest sandsynlige forklaring på folkenes bestyrtelse er imidlertid, at nogen har forsøgt selvmord i havnen. Nogle måneder før Eckersberg malede billedet, udkom Carl Bernhards korte roman *Dagvognen*, hvis højdepunkt er, da en ung kvinde kaster sig ud fra Langebro af ulykkelig kærlighed – og bliver reddet af sin senere tilkommende mand. Bogens meget malende beskrivelser kan have inspireret Eckersberg til billedet, sådan som Jørgen Bonde Jensen har foreslået i 1991. Maleren udførte billedet i efteråret 1836 – det blev påbegyndt den 21. oktober og fuldført den 10. november, ifølge dagbogen efter i alt ni maleseancer. Maleriet betegner ikke blot hans tilbagevenden til den type hverdagsmotiver, han havde dyrket i sin ungdom, men stort set havde afholdt sig fra efter sin afrejse til Paris i 1810. Det peger også fremad mod malerens teoretiske arbejde i slutningen af 1830'rne, der mundede ud i afhandlingen *Linearperspektiven anvendt paa Malerkunsten* fra 1841. Med det markante, dybe perspektiv og med den klare redegørelse for måneskinnet og skyggerne foregriber billedet direkte to af illustrationerne i bogen, begge med titlen *Måneskin over en vej*, udført 1838-40. Det er ydermere den samme type hverdagsmotiver, han udførte som raderinger til denne bog.

16

Johan Christian Dahl   1788-1857

J. C. Dahl var norsk af fødsel, men blev i sin samtid i lige høj grad anset for at være dansk som norsk kunstner. Han havde livet igennem nær kontakt til kunstnermiljøet i København, og han havde i 1830'rne og 40'rne stor betydning for de yngre danske malere som formidler af det tyske romantiske landskabsmaleri i Dresden. Med sin stærkt romantiske og ofte dramatiske kunst stod han i modsætning til Eckersbergs mere nøgterne holdning.

J. C. Dahl blev født i Bergen og kom i 1811 til København for at blive uddannet på Kunstakademiet. Ved afståelsen af Norge i 1814 forblev han i Danmark og fortsatte sin uddannelse på akademiet til 1817. Det var i København, Dahl valgte at blive landskabsmaler. Med stort udbytte studerede han de hollandske landskabsmalere i Den kongelige Malerisamling, specielt de nordiske bjerglandskaber af Everdingen og Jacob van Ruisdael. Men også hans egen tids kunstnere havde betydning for ham – i et vist omfang hans lærer på akademiet, historie- og landskabsmaleren C. A. Lorentzen, der havde været i Norge og havde malet en række prospekter derfra, og i endnu højere grad den nyligt afdøde Jens Juel. I København udførte Dahl flere norske bjerglandskaber, der var baseret dels på de hollandske malere, dels på egne minder fra Norge. Men han gjorde også direkte naturstudier. Dahl nåede at se og beundre Eckersbergs arbejder fra udenlandsrejsen – især dennes romerske prospekter – inden han i 1818 rejste via Berlin til Dresden. Her knyttede han et nært venskab med den tyske landskabsmaler Caspar David Friedrich, som påvirkede ham afgørende. Dahl var dog ikke så filosofisk anlagt som denne, men havde et mere umiddelbart forhold til naturen. Sin endelige kunstneriske modning fik Dahl under sit ophold i Italien 1820-21, hvor han især malede i omegnen af Napoli og Rom og udførte en række frisk malede oliestudier (se kat.nr.18). Men han udførte også norske landskaber efter erindringen. Dahl slog sig i 1821 endeligt ned i Dresden og blev i 1825 ekstraordinær professor ved byens kunstakademi. Fra dansk side søgte man i 1828 at lokke ham til København med et tilbud om et professorat ved Kunstakademiet, men han afslog. Han bevarede dog nær forbindelse med kunstlivet i Danmark og gjorde hyppigt ophold i landet, især på sine mange rejser til og fra Norge – første gang i 1826. Næsten hvert år udstillede han på Charlottenborg. Derved øvede han indflydelse på flere danske malere, der blev tiltrukket af den romantiske stemning og monumentaliteten i hans kunst. Malere som Frederik Sødring og Louis Gurlitt lod sig inspirere til at male norske bjerglandskaber, men Dahl fik også stor betydning for de malere, der skildrede den danske natur, specielt Købke, Lundbye, Dreyer og Skovgaard. På samme tid gjorde han sig også gældende i kunstmiljøet i Dresden og kom til at indtage en central plads blandt romantikkens tyske landskabsmalere. Mest vidtrækkende er dog hans betydning for norsk kunst.

J. C. Dahl. Malet af C. A. Jensen. 1814-15. Statens Museum for Kunst.

17 Broen over Tryggevælde Å. (Ca. 1815)

Olie på lærred. 47,5 x 66,5 cm.
Ikke betegnet.
Gave fra generalkonsul Johan Hansen 1921. Inv.nr. 3488.

Motivet er i sig selv ikke særlig bemærkelsesværdigt – en bro over en å – men det dramatiske natursceneri med uvejsskyerne og den effektfulde lysvirkning giver billedet en stærk romantisk stemning. Billedet sammenfatter i flere henseender Dahls udbytte af sin læretid i København.

Dahls lærer ved Kunstakademiet, C. A. Lorentzen, tjente som eksempel for sin elev, mere ved sit valg af motiver – både de norske bjerge og de danske landskaber – end ved sine kunstneriske evner. Langt større betydning fik Jens Juels landskaber, som han synes at have studeret grundigt. Påvirkningen ses tydeligt i dette maleri, som giver mindelser til Juels *En sjællandsk bondegård under et optrækkende uvejr* (kat.nr.3). Billedopbygningen og naturopfattelsen er den samme i de to malerier. Fra højre side løber en vej skråt ind i billedrummet mod den stærkt oplyste mellemgrund, hvor der ligger nogle bygninger. I begge tilfælde forstærker en hestevogn bevægelsen ind i billedet. Både Juel og Dahl har ladet det skarpe uvejrslys og den stærke blæst komme fra højre, ligesom der driver mørke regnskyer over landskabet. Begge malere har også spillet på modsætningerne mellem de mange oplyste og mørke partier i billedet. Åen og broen i forgrunden hos Dahl bidrager imidlertid ligesom den svungne linieføring til at gøre rumvirkningen mere udtalt i hans billede. Juel udførte sit maleri i tre versioner, og man må formode, at Dahl kan have set én af dem.

Under opholdet i Danmark beklagede Dahl, at den danske natur ikke bød på »Klipper og Vandfald« og at han måtte tage til takke med »Vand-Pytter«. Dette billede viser, hvordan han kompenserede for, hvad han savnede i Danmark.

Dahl malede sit billede af Tryggevælde Å syd for Køge omkring 13 år før, digteren Johan Ludvig Heiberg lod åen spille en væsentlig rolle i synge- og skuespillet *Elverhøj* (fra 1828).

17

18 Vesuvs udbrud. 1820

Olie på lærred. 43 x 67,5 cm.
Betegnet forneden t.h.: *Dahl d. 24 Decbr 1820*
Købt 1974. Inv.nr. 6803.

Vesuv var i udbrud adskillige gange i første halvdel af det 19. århundrede og var det helt store udflugtsmål for udlændingene i Italien. Mens Dahl opholdt sig i Napoli i 1820, brød vulkanen ud i december måned, og han benyttede lejligheden til på nært hold at opleve det »interessante og rædsomt skjønne Syn«, som han selv kaldte det usædvanlige naturfænomen. Straks efter udbruddet søgte maleren op på vulkanens side, og den 20. og den 23. december tegnede han en række skitser på stedet, og hjemme i sit hotelværelse sammenfattede han sine indtryk i et par malede skitser, bl.a. denne, som blev udført den 24. december.

Vesuv blev ofte skildret som baggrund og vartegn i malerier af Napoli og omegn – enten med en røgsky, der stiger op fra krateret, eller i udbrud med en ildsøjle og glødende lava, der flyder ned ad bjergets side. Dahl synes imidlertid at være den første, der har skildret udbruddet så tæt på – med bjergsiden og den flydende lava i forgrunden og Napolibugten i det fjerne. Et par mænd, der betragter lavastrømmen, er med til at give indtryk af de overvældende størrelsesforhold.

H. C. Andersen oplevede vulkanens udbrud på lige så tæt hold 14 år senere, den 24. februar 1834, og beskrev synet i sin dagbog: »Vi saa nu den uhyre Ildstrøm vælte langsomt, tyk og rød, som Velling, ned ad Bjerget, Svovldampen var saa stærk, Ilden brændte os [under] Fødderne saa at vi maatte efter to Minutter tilbage; rundtom saa vi Gab af Ild, det susede fra krateret, som naar en Skare Fugle med eet flyve op fra en Skov. – Keglen kunde ikke bestiges for de gloende Stene der idelig regnede ned.«

Motivet var et af Dahls mest populære, og han udførte en række gentagelser i stort format – den første af dem i 1821 til arkæologen P. O. Brøndsted (nu Statens Museum for Kunst) og en anden i 1824 til kronprins Christian Frederik (nu dansk privateje). Denne studie beholdt han indtil 1845, da han solgte den til industrihistorikeren O. J. Rawert.

18

Christian Albrecht Jensen   1792-1870

Christian Albrecht Jensen var en af de få danske guldaldermalere, der ude-
lukkende helligede sig portrætmaleriet. Takket være sin lette, ofte virtuose
pensel og levende personkarakteristik skilte han sig ud fra sine samtidige, og
det bragte ham kortvarig succes i starten og senere megen modgang.

C. A. Jensen begyndte på Kunstakademiet i København som 18-årig i 1810
og blev elev af portræt- og landskabsmaleren Christian August Lorentzen.
Ved siden af undervisningen studerede han ældre portrætkunst i Den konge-
lige Malerisamling. Han afbrød imidlertid akademiuddannelsen i 1816 uden
at have vundet den store guldmedalje og rejste året efter til Dresden, hvor
han i halvandet år studerede ved byens kunstakademi. I 1818 rejste han vide-
re til Italien, og under det tre år lange ophold i Rom fandt han sig selv kunst-
nerisk set. Efter tilbagekomsten til København omkring 1822-23 slog han
snart igennem hos det købedygtige publikum. Jensens små, fordringsløse
portrætter passede godt til smag og økonomisk formåen hos det københavn-
ske borgerskab i det kriseramte Danmark. Han portrætterede sine modeller
ligefremt og uden megen iscenesættelse. Efterhånden fik han så stor søgning,
at han omkring 1827 havde udkonkurreret Eckersberg, og en kort overgang
var han landets mest søgte portrætmaler. Årene 1825-30 var også hans glans-
periode i kunstnerisk henseende. I forhold til Eckersberg udmærkede han sig
ved at vise langt større psykologisk indlevelsesevne i sine portrætter. Jensen
havde dog svært ved at opnå officiel anerkendelse; godt nok blev han med-
lem af Kunstakademiet i 1824, men i 1829 blev han forbigået ved besættel-
sen af Lorentzens professorat. Hele livet igennem måtte han ydermere døje
med kunstkritikernes modstand mod hans frie penselføring og brede strøg. I
kronprinsen, den senere Christian VIII, havde han dog en trofast støtte.

Efter 1830 begyndte publikum at svigte C. A. Jensen, og han fik snart store
økonomiske problemer. Medvirkende hertil var, at hans småportrætter ikke
længere opfyldte bestillernes ønsker. I 1832 søgte Jensen derfor at supplere
sine indtægter ved at udføre kopier efter ældre malerier til portrætsamlingen
på Frederiksborg Slot; dette bragte ham imidlertid i modsætning til samlin-
gens leder, kunsthistorikeren N. L. Høyen, der kun ønskede originale portræt-
ter. Takket være kronprinsens indgriben fortsatte maleren dog med at levere
malerier til slottet helt frem til 1847, fra 1840-42 mest egne arbejder. I årene
efter 1837 rejste C. A. Jensen jævnligt til udlandet, specielt England og
Rusland, for at skaffe sig portrætbestillinger, og i forbindelse hermed udførte
han 1839-43 elleve portrætter af berømte astronomer til observatoriet i Pul-
kova nær Skt. Petersborg.

I 1840'rne skete en drastisk nedgang i hans produktion, og omkring 1848
ophørte han næsten helt med at male. Det skyldtes dels, at han ved Christian
VIIIs død mistede sin vigtigste støtte, dels at han under den dansk-tyske krig i

C. A. Jensen. Selvportræt. 1836. Statens Museum for Kunst.

1848 kom i politisk modvind på grund af sin sympati for slesvig-holstenernes sag. C. A. Jensen havde ingen egentlige elever, men fik dog stor betydning for flere af de yngre guldaldermalere, især Købke.

19 Birgitte Søbøtker Hohlenberg. 1826

Olie på lærred. 23,5 x 19 cm.
Betegnet foroven t.h.: *C. A. Iensen 1826.*
Testamentarisk gave 1952 efter H. Hornemann. Inv.nr. 4617.

Den unge kvinde ser mod betragteren. Hendes ungdommelige charme og livsmod ligefrem lyser ud af billedet. Maleriet viser malerens overlegne evne til at indfange en persons karaktertræk. Penselføringen er på én gang livlig og præcis. Kun ansigtet er sirligt malet. Skildringen er fuld af lys, men i modsætning til Eckersberg angav C. A. Jensen ikke klart, hvorfra lyset kom. Kjolens og kysehattens farver er afstemt i blålige, grålige og hvide nuancer, og maleren har udnyttet kyseskyggens cirkelform til at indramme ansigtet. Portrættet er et af Jensens mest berømmede billeder.

Birgitte Søbøtker Hohlenberg (1800-86) var af borgerlig herkomst. Hun blev malet af Jensen i 1826, samme år som hun giftede sig med en ung jurist, Johannes Søbøtker Hohlenberg, der på det tidspunkt i et par år havde været ansat ved den danske handelsstation Serampore ved Calcutta i Indien. I 1828 blev han leder af kolonien. Da de få tilbageværende danske kolonier helt havde mistet deres betydning for den danske handel efter Napoleonskrigene, var hans arbejdsopgave udelukkende administrativ. Ægtemanden var derfor ganske typisk for C. A. Jensens kunder ved at høre til blandt de velanskrevne, men ikke velhavende højere embedsmænd og akademikere. Ved hans død i 1833 vendte hun tilbage til København. C. A. Jensen malede hans portræt som pendant til hendes (Statens Museum for Kunst; se introduktionsartiklen fig. 22).

19

20 Teatermaleren Troels Lund. 1836

Olie på lærred. 30,9 x 23,3 cm.
Betegnet forneden langs højre kant: *C. A. Iensen 1836.*
Købt 1897. Inv.nr. 1557.

Tilsyneladende er Troels Lund midt i en arbejdssituation – han står med det for en teatermaler karakteristiske arbejdsredskab, den store pensel med det lange skaft, og han ser granskende frem for sig, som for at tage bestik af, hvad han nu skal gå i gang med. Ved nærmere eftersyn viser det sig, at billedet helt mangler de træk, som hører til en genreagtig skildring af en maler i arbejde. Jensen har slet ikke gjort rede for Lunds omgivelser, end ikke for den teaterdekoration, han må formodes at arbejde på, og strengt taget er det også ulogisk, at teatermaleren ser direkte mod billedets betragter, da det jo ikke er et portræt, han maler på.

Hensigten med Jensens billede er da også helt og holdent at give en karakteristik af Troels Lund som person – og her hører teaterpenslen med som en angivelse af hans arbejde. Maleriet viser Jensens overlegne evne til at indfange de detaljer, der var typiske for manden: hans ranke, let anspændte holdning, hans bestemte ansigtsudtryk og det halvt opsmøgede højre ærme. Ganske morsomt har Jensen afbalanceret hovedets lette hældning med den røde kalot, der sidder på skrå.

Portrættet af Lund virker mere monumentalt end Jensens portrætter fra 1820'rne. Billedet er ganske vist ikke af væsentlig større format. Men teatermalerens holdning og udtryk skaber den ændrede billedvirkning. Maleriet afspejler en generel ændring i Jensens portrætter, og i det hele taget i dansk portrætkunst i 1830'rne, som følge af den stigende velstand i Danmark efter 1830.

Maleriet er muligvis blandt de syv portrætter af »Kunstnere og Lærde«, Jensen udstillede i 1836. Også Ditlev Blunck har malet et portræt af Troels Lund (1831; Statens Museum for Kunst).

20

21 Drengeportræt. En af kunstnerens sønner. 1836

Olie på lærred. 31,5 x 23 cm.
Betegnet forneden t.h.: *C. A. Iensen pinxit. 1836.*
Købt 1905. Inv.nr.1931.

På nogenlunde samme tid som Jensen udførte portrætterne af Troels Lund (kat.nr.20), malede han dette billede af en af sine sønner. Det er en øjebliks-skildring, hvor barnet er »fanget« midt i sin leg; men samtidig er der i det lille maleri en vis statelighed og monumentalitet, som motivet i og for sig ikke lægger op til. Det viser, at Jensen også i et mere privat billede som dette lod sig påvirke af de nye stilsøgende strømninger, som brød frem midt i 1830'rne, specielt hos Købke, og som stod i kontrast til det mere uprentiøse præg i portrætterne fra 1820'rne og de tidlige 30're.

Maleriet forestiller muligvis Hans Rudolf Lorenzen Jensen (1832-1874).

Ditlev Conrad Blunck   1799-1854

Ditlev Blunck er en af de få guldaldermalere, der både blev påvirket af Eckersbergs realistiske virkelighedsopfattelse og af en af mere idealiseret, tysk-inspireret retning, der blev formidlet af J. L. Lund.

Blunck blev født i Holsten og kom på Kunstakademiet i København i 1814, dvs. efter Abildgaards død og før Eckersbergs udnævnelse til professor. Han blev elev på Modelskolen i 1817, men velsagtens af utilfredshed med undervisningen rejste han i 1818 til München og blev indskrevet ved byens kunstakademi. Omkring 1820 vendte han imidlertid tilbage til København og kom nu i berøring med Eckersberg, uden dog at blive en af hans private elever. I stedet knyttede han sig til dennes professorkollega, historiemaleren Johan Ludvig Lund, der var mere internationalt orienteret og havde kontakt til flere tyske kunstnere, ikke mindst nazarenerne. Bluncks ambitioner lå fra starten inden for historiemaleriet, men han dyrkede også genremaleriet. I de tidlige arbejder mærkes påvirkning fra den aktuelle tyske kunst, som han havde mødt under opholdet i München. Men billederne er også præget af den eckersberg'ske saglighed.

Blunck vandt i 1827 akademiets store guldmedalje, som den første efter Eckersberg i 1809. Da han i juni 1828 rejste udenlands med understøttelse fra akademiet, var det Lund, han holdt underrettet om sin rejse, og han opsøgte en række af dennes kunstnervenner, bl.a. Ludwig Vogel, Dahl og Caspar David Friedrich i Dresden og Peter von Cornelius og Julius Schnorr von Carolsfeld i München, og ved flere lejligheder beundrede han arbejder af Friedrich Overbeck. Ved årsskiftet 1828-29 nåede han Rom og sluttede sig til kredsen omkring Thorvaldsen. I den første tid efter ankomsten så Blunck på byen med Eckersbergs øjne og opsøgte hans motiver. Men efterhånden aftog dennes indflydelse imidlertid, og til gengæld slog påvirkningen fra de tyske nazarenere, specielt Overbeck, igennem, som det ses i det strenge, stiliserede *Portræt af teatermaler Troels Lund* fra 1831 (Statens Museum for Kunst) og i de altertavler og andre religiøse billeder, som han udførte. Sideløbende hermed malede han genrebilleder af det romerske folkeliv – mest kendt er *Danske kunstnere i det romerske osteria La Gensola* (1836, Det Nationalhistoriske Museum på Frederiksborg, og variant fra 1837, Thorvaldsens Museum). I 1838 vendte Blunck tilbage til København, men efter en dom for en seksuel lovovertrædelse (han var homoseksuel) rejste han i 1841 til Wien og slog sig senere ned i Hamburg. Under udenlandsopholdet fuldførte han sit sidste hovedværk, den allegoriske billedrække *De fire menneskealdre* på bestilling af den danske konge (1840-45, Statens Museum for Kunst). Under krigen 1848-50 sluttede Blunck sig til slesvig-holstenerne og synes hermed at have mistet forbindelsen til kunstnermiljøet i København. Han døde i Hamburg.

Ditlev Blunck. Malet af Constantin Hansen. 1837. Statens Museum for Kunst.

Martinus Rørbye

1803-1848

Martinus Rørbye videreførte sin lærer Eckersbergs saglige og virkeligheds-nære holdning til motiverne. Hans kunst er præget af hans konstante rejse-lyst, og han kom videre omkring end nogen anden dansk guldaldermaler. Først og fremmest malede han genrebilleder og arkitekturmalerier.

Rørbye blev født i Drammen i Norge, men rejste med sine forældre til Danmark efter afståelsen af Norge i 1814. Han kom på Kunstakademiet i København i 1820 og blev elev af Christian August Lorentzen; fra 1825 var han tillige privat elev af Eckersberg. Han synes at have afsluttet sin akademi-uddannelse omkring 1830, men konkurrerede dog om den store guldmedal-je i 1831 og '33 (uden at vinde). I starten malede han især genrescener fra Københavns gader, men også portrætter. I 1830 foretog han sin første uden-landsrejse til Norge, hvortil han atter rejste to år senere. I 1834 drog han ud på den store dannelsesrejse over Paris til Rom, hvor han blev til 1837. Dog foretog han i vinteren 1835-36 en rejse til Athen og Konstantinopel (Istan-bul), der indtil da praktisk taget ikke var besøgt af danske billedkunstnere, og hvor han samlede skitser til både arkitekturstykker og genremalerier. Under opholdet i Rom fandt han især sine motiver i byens omegn. Rejsens mange billeder har i vid udstrækning præg af reportage fra fremmedartede egne, men samtidig viste Rørbye en for den tid helt enestående indlevelse i skildringerne. I 1837 rejste han over München og Dresden tilbage til Dan-mark, og året efter blev han medlem af Kunstakademiet. I 1839-41 var han atter i Italien. I 1840'rne var han især optaget af at male store gennemarbej-dede billeder fra de to rejser, på grundlag af skitser udført på stedet, bl.a. *Det indre af kapellet i klosteret S. Benedetto i Subiaco* fra 1843 og *Brønden på pladsen St. Sophie ved Serailets port i Konstatinopel* fra 1846 (henholdsvis Statens Muse-um for Kunst og Aarhus Kunstmuseum). I 1846 tog Rørbye til Stockholm. Ved flere lejligheder var han i Jylland, og som den første maler besøgte han i 1833 og '47 Skagen, hvorfra nogle af nogle af hans mest levende og friske olieskitser stammer, især *Fiskere, der ror deres båd gennem det oprørte hav mod et skib i havsnød* fra 1847 (Skagens Museum). Rørbye nød i sin samtid større anseelse end Eckersbergs øvrige elever og blev i 1844 professor ved Kunst-akademiet. Inden han i 1848 døde af mavesår, nåede han som lærer at øve indflydelse på den unge Christen Dalsgaard.

Martinus Rørbye. Malet af Constantin Hansen. 1837. Skagens Museum, deponeret på Statens Museum for Kunst.

23 Udsigt fra kunstnerens vindue. (Ca.1825)

Olie på lærred. 38 x 29,8 cm.
Ikke betegnet.
Erhvervet 1988. Inv.nr. 7452.

Rørbye var grundigt bekendt med dette motiv, inden han gik i gang med at male det – det er udsigten fra hans forældres hjem mod Københavns havn. Han har fordelt interessen nogenlunde ligeligt mellem vindueskarmens solbeskinnede opstilling af blomster og havnens skibe og kraner, der fortaber sig i disen, ligesom han har været stærkt optaget af sollyset, der falder ind gennem vinduet. Rørbye kan derfor i vid udstrækning siges at have fulgt opfordringen fra Eckersberg og kunsthistorikeren Høyen til de unge malere om at skildre de motiver, som de var fortrolige med. Men han har føjet yderligere et aspekt til sit billede. Maleren spiller helt bevidst på den symbolik, der i tidens litteratur gerne er knyttet til motivet med det åbentstående vindue, nemlig modsætningen mellem hjemmets trygge og velkendte omgivelser og den dragende, men måske også lidt faretruende verden udenfor. Det er ikke tilfældigt, at han har valgt at male en udsigt mod havnen med skibene, der kan føre billedets betragter langt væk til fremmede egne. Hos Rørbye er hverken glæden ved hjemmet eller udlængslen dog entydig, men splittelsessymbolikken understreges af fugleburet, der er hængt op i det åbne vindue - fuglen er ude i det fri, men alligevel i fangenskab.

Anne-Birgitte Fonsmark har i 1990 foreslået, at maleriet skal tolkes ud fra Rørbyes personlige situation omkring 1825, hvor han som 22-årig stod for at bryde op fra sit barndomshjem. I forlængelse heraf kan opstillingen i vindueskarmen opfattes som en nøje beregnet allegori – gipsafstøbningen af den let løftede barnefod står i kontrast til den solidt plantede voksenfod, og planterne viser nærmest en hel livscyklus, fra frøet, der må formodes at være i den lille urtepotte, over den beskyttede stikling i vækstrøret, den spirende agave og den faldne blomst på kugleamaranthen (der på dansk også kaldes ungkarleknap) til den frodigt blomstrende hortensia. Bogen og papiret på bordet er endnu ubeskrevne, og spejlet, der ses lige ved siden af fuglen i buret, kan ses som den symbolske åbning for den tilfangetagne sjæl.

I det samtidige tyske maleri findes en række billeder, der kredser om den samme symbolik, ikke mindst i den såkaldte Biedermeier-kunst. Men i dansk billedkunst er Rørbyes maleri helt uden sidestykke.

24 Arrestbygningen ved råd- og domhuset i København. 1831

Olie på lærred. 47,5 x 63 cm. Betegnet midtfor t.h.: *M Rørbÿe 1831*
Købt 1832. Inv.nr. 206.

Tilsyneladende er det et tilfældigt udsnit af hverdagslivet i en af Københavns gader, Martinus Rørbye har malet. Men et nærmere blik vil afsløre, at hverken personerne eller stedet er tilfældigt valgt. Scenen er henlagt til et af den gamle bys få moderne gadestrøg, foran den nye arrestbygning, som var tegnet af slotsarkitekten C. F. Hansen og fuldført i 1815. Det er en broget skare mennesker, Rørbye har ladet mødes her. Midt i billedet ser en ung laps interesseret efter en kvinde med to børn, og bag ham går en kappeklædt embedsmand – velsagtens en dommer på vej til domhuset – ledsaget af en betjent, der bærer dokumentmappen. Til højre for dem, i hjørnet ved buen, beder en ung mand en sidste gang en gammel pengeudlåner om hjælp, mens en politibetjent trækker i hans kappe og peger mod porten, der fører til gældsfængslet. Hvad der skal ske med ham, antydes af fangen bag tremmerne i glughullet. I den venstre side af billedet står en fattig, gravid kvinde og tigger under buen, mens en skomagerdreng overværer en handel mellem en gadesælgerske og en ung tjenestepige. Forrest i billedet ses en dyster, kappeklædt mand, der selv ved højlys dag bærer en tændt lygte, og bag ham er en skorstensfejer netop kommet ud af fængselsbygningen.

Rørbyes hensigt med dette billede blev afsløret allerede i samtiden: Det er tænkt som en allegori over synd, forbrydelse og straf. I det tysksprogede *Kopenhagener Kunstblatt* gav en meget velinformeret skribent i april 1832 en fyldig omtale af maleriet, og her blev der lagt vægt på symbolikken knyttet til flere af figurerne. Skorstensfejeren »synes at hentyde til de kår, et menneske kommer i, når det én gang har været låst inde bag disse mure«, tiggerkvinden »synes at betegne begyndelsen til lasternes vej«, og manden med lanternen kaldes »den gamle misantrop«, der er »utilfreds med alt, hvad der går for sig omkring ham« – og altså ikke engang stoler på dagslyset! Hertil kan tilføjes, at også den sorte kat betyder ulykke, og det kunne se ud, som om gadesælgersken snyder kunderne, men nu bliver afsløret af skomagerdrengen. Der er derfor nøje overensstemmelse mellem stedet og de optrin, der udspiller sig. Maleriet anviser med andre ord en række sikre veje ud i uføre: begær efter en gift kvinde, svindel, gældsstiftelse og tiggeri, og dommeren, politibetjenten og fængselsbygningen antyder den sikre straf. Arrestbygningens dystre karakter afspejler tidens opfattelse af straf som afskrækkelsesmiddel.

24

Symbolik som den, Rørbye har arbejdet med i dette maleri, er ikke typisk for guldalderkunsten. Den synes at stå i gæld til en ældre, mere symbolfyldt tradition i dansk kunst, hvor billedkunsten blev tillagt en opdragende og moraliserende rolle, og som kan være formidlet af Rørbyes gamle akademi-professor Lorentzen. Men perspektivkonstruktionen og den konsekvente lysvirkning hører dog til Eckersbergskolen og dermed til Rørbyes egen tid.

25 Grækere arbejder i ruinerne ved Akropolis. (1835)

Olie på papir på lærred. 28,5 x 41,5 cm.
Ikke betegnet.
Købt 1941. Inv.nr. 4299.

Grækenland var noget nær lukket land for vesteuropæerne inden den græske frihedskrig 1821-29. Derfor var det et helt nyt rejsemål, Rørbye og arkitekten Gottlieb begav sig af sted mod, da de i oktober 1835 tog fra Rom til Grækenland. Med Athen som base foretog de en række udflugter i de følgende måneder og tilbragte julen og nytåret i Konstantinopel. De var først tilbage i Rom i maj 1836. I Athen blev de to danskere i bogstaveligste forstand vidner til oprydningen efter den århundredlange tyrkiske besættelse, og på Athens Akropolis overværede de, hvordan græske arbejdere var i færd med at befri de antikke templer for de tyrkiske forsvarsanlæg. Rørbye blev fascineret af synet af udgravningsarbejdet og nedfældede sine indtryk i en tegning (Den kongelige Kobberstiksamling) og derpå i denne oliestudie. Maleren stillede sig ved portanlægget til det gamle Akropolis, Propylæerne, og iagttog arbejdet. Men for Rørbye var der trods alt ikke mere reportage i maleriet, end at den billedmæssige virkning kom i første række, og han vendte blikket, så han fik udsigten over landskabet med, ligesom han udnyttede en stor skulptursokkel til at sætte både udsigt og mennesker i relief. Til Eckersberg beklagede han i et brev, at figurerne »desværre« blev små »mod disse Kæmpestørrelser af Arkitektur«. Man kunne ellers tro, at det havde været hans hensigt at fremhæve de overvældende store antikke bygningsrester mod menneskenes ringe størrelse. Meget rammende skrev anmelderen ved *Dansk Kunstblad* i februar 1838, da maleriet blev udstillet i Kunstforeningen, at »de mange brogetklædte Arbeidere med de røde Huer danne en malerisk Contrast til de store Steen blokke og Oldtidens Ruiner. Der er et Liv som i Myretue«.

Arbejdet med billedet kan følges gennem Rørbyes dagbog og brevet til Eckersberg: Tegningen til maleriet blev udført den 21. november 1835, og to uger senere, den 5. december var maleriet færdigt.

25

Wilhelm Bendz

1804-1832

Wilhelm Bendz spillede en vigtig rolle ved indførelsen af det borgerlige gen-remaleri i dansk kunst. Han specialiserede sig nærmest i at udføre interiør-billeder – af kunstnere i deres atelierer og af familiegrupper eller en kreds af venner i de københavnske hjem. Han var elev af Eckersberg, men hans bille-der rummer flere elementer, der rækker ud over rammerne af lærerens kunst.

Bendz kom på Kunstakademiet i København i 1820, og i 1822 blev han tillige privat elev af Eckersberg. Året efter nåede han Modelskolen, men på denne tid synes kontakten til Eckersberg at være gledet midlertidigt ud. Han fortsatte dog tilsyneladende med at følge Akademiundervisningen – i hvert fald deltog han i 1825 i konkurrencen om den lille guldmedalje, men uden at vinde. I årene efter 1827 opstod til gengæld et nært forhold mellem Eckersberg og Bendz.

Bendz var en af de første, der påbegyndte akademistudiet efter Eckers-bergs udnævnelse til professor i 1818, og han kom da også under påvirkning af ham. Men især hans arbejder fra midten af 1820'rne røber påvirkning fra andre sider. Her ses en forkærlighed for raffinerede lysvirkninger og for kom-plicerede kompositioner, som slet ikke findes hos Eckersberg. Endvidere arbejdede han på denne tid i flere malerier med en skjult symbolik, som ikke var typisk for den danske guldalder. I disse billeder kredsede han især om kunstneren og hans rolle – og dermed om kunstens væsen (sml. kat.nr. 26 og 27). I flere henseender er der paralleller mellem hans billeder og den samtidige tyske malerkunst, ikke mindst i hovedværket *Et tobaksselskab* fra 1827-28 (Ny Carlsberg Glyptotek), hvor han arbejdede med dramatiske clair/obscur-virkninger med lys og skygger fra skjulte lyskilder. Dette rejser spørgs-målet, om Bendz kan have været på en nu udokumente   ret rejse til Tysk-land midt i 1820'rne, eller om påvirkningen fra tysk malerkunst kan være formidlet på anden måde, eventuelt gennem vennen Ditlev Blunck, der hav-de været i München 1818-20.

Efter at Bendz atter var begyndt at omgås Eckersberg i anden halvdel af 1820'rne, blev hans billeder enklere og roligere opbygget, og de fint afstemte farver og det rigt nuancerede dagslys kom til at spille en vigtig rolle (jf. kat. nr. 30). I 1831 rejste Bendz ud på sin store udenlandsrejse med offentlig støt-te. Han tog over Hamburg og Berlin til Dresden og derfra til München, hvor han opholdt sig i et år og muligvis ønskede at bosætte sig. Her blev hans sid-ste store maleri til, *Kunstnere om aftenen i Fincks kaffehus i München* (Thor-valdsens Museum). I efteråret 1832 rejste han videre sydpå, men nåede ikke længere end Vicenza, hvor han døde kun 28 år gammel.

Bendz nød stor anerkendelse blandt sine jævnaldrende, og i koloristisk henseende fik han betydning for malere som Købke, Constantin Hansen og Marstrand.

Wilhelm Bendz. Malet af Christen Købke. Ca. 1830. National Gallery, London.

26 En ung kunstner (Ditlev Blunck), der betragter en skitse i et spejl. 1826

Olie på lærred. 98 x 85 cm.

Betegnet forneden t.v. under spejlet: *VF BENDZ 18 $\frac{28}{3}$ 26*

Købt 1826. Inv.nr. 280.

En ung maler har et øjeblik taget sit maleri ned fra staffeliet og betragter det i spejlet for at tage stilling til, om kompositionen er i balance. Billedet giver indblik i datidens maleres arbejdsmetode, men skal ikke kun betragtes som et genremaleri eller som et portræt af en bestemt maler. Bendz har villet gøre rede for sin opfattelse af kunstens væsen. Vi ser ikke selve billedet i malerens hænder, kun lærredets bagside, og vi er henvist til spejlbilledet for at se det. Med andre ord: en hentydning til kunstens funktion som et spejlbillede af virkeligheden. Helt symbolsk svæver spejlbilledet af maleriet over kraniet, det traditionelle symbol på forgængelighed. Pointen er, at den udødelige del af mennesket, dvs. kunsten, hæver sig op over den dødelige. Det er altså ved kunstens hjælp, at mennesket kan blive udødeligt. Øverst i billedet sidder en fugl i et bur; i forlængelse af den øvrige symbolik kan den opfattes som den fængslede menneskesjæl, som kunsten vil befri. En zig-zag-bevægelse gennem det tætfyldte billedrum fører blikket fra malerkassen, paletten og penslerne til staffeliet og derfra til maleren og hans spejlbillede og endelig fuglen i buret – det vil sige: fra kunstens materialer og redskaber til kunstneren og til kunstværket og videre til kunstens bruger. Ved et flygtigt blik kan Bendz' maleri måske virke tæt pakket, nærmest rodet. Men der er altså en helt klar mening med opbygningen af billedet.

Symbolik som denne var ikke typisk for guldalderens hverdagsskildringer. Den peger mere mod tysk kunst end mod den øvrige danske. Da maleriet blev udstillet i 1826, blev dets symbolik heller ikke forstået af portrætmaleren Hans Hansen, der i sin anmeldelse kaldte billedet »virkelig en udmærket production, især fra Penselens side«, men som fandt, at maleren burde have undladt at »vise os altfor mange Ting, som hver for sig ere meget smukt malte, men dog let frembringe en eller anden Forstyrrelse i den samlede Lysvirkning«. Af frygt for »Tomhed og Fattigdom« havde Bendz begået »den modsatte Feil«, altså overfyldt billedet. Denne kritik hindrede dog ikke, at maleriet blev købt til Den kongelige Malerisamling (nu Statens Museum for Kunst) allerede i 1826. Men Hans Hansens dom har vundet genklang i eftertiden, ikke mindst hos Henrik Bramsen, der har udbygget den og beskyldt maleriet for at være »ikke beåndet«. Først Mogens Nykjær er gået mod denne opfattelse og har foreslået den tolkning, som er fulgt her.

26

Maleren på billedet er Ditlev Blunck, der i gang med sit maleri af maleren Jørgen Sonne, *En bataljemaler i sit atelier* (ca.1826, Statens Museum for Kunst). Der var et nært kunstnerisk samspil mellem Blunck og Bendz netop på denne tid.

27 Modelskolen på Kunstakademiet. 1826

Olie på lærred. 57,5 x 82,5 cm.

Betegnet forneden t.h.: *VBendz 18 $\frac{15}{X}$ 26.* Og forneden t.v.: *VFB* $\frac{}{4}$

Købt 1826. Inv.nr. 54.

Gennem hele den danske guldalder var modelstudiet den vigtigste disciplin i undervisningen på Kunstakademiet i København. Bendz' maleri giver et godt indtryk af, hvordan undervisningen foregik, ikke blot på malerens egen tid, men også tyve år tidligere, da Eckersberg var elev, sågar tres år før, da Abildgaard var elev. De forskellige professorer skiftedes til at »stille« modellerne – dvs. vælge de stillinger, modellerne skulle indtage. Den nøgne mandlige model blev stillet i en dramatisk stilling, som ville passe fint i et historisk eller mytologisk maleri, og eleverne sad med deres tegnebrætter i kreds rundt om ham og tegnede. Undervisningen blev holdt om aftenen ved kunstigt lys, for det gav den mest konstante belysning. Dagslyset med dets skiftende styrke og forskellige nuancer var der ikke plads til i historiemaleriets ideale verden. Undervisning i at *male* fik eleverne ikke på Akademiet, men privat hos lærerne i atelier'erne på Charlottenborg, hvor Akademiet holdt til, og hvor lærerne havde deres embedsbolig. Efter at Eckersberg var blevet professor i 1818, blev der lagt op til en fornyelse. I 1822 søgte han sammen med sin kollega, historiemaleren Johan Ludvig Lund, at omlægge undervisningen. Nogen gennemgribende reform blev der dog ikke tale om – det synes akademiets præces, kronprins Christian Frederik, at have forhindret. Det blev dog nu muligt at male både efter mandlig og kvindelig model – i dagtimerne ved naturligt lys, og efterhånden indtog modellerne ikke kun de heroiske positurer, men også mere hverdagsagtige stillinger.

Bendz begyndte på Modelskolen i 1823, altså lige efter fornyelsesforsøget, og med sit maleri viser han, at der endnu i 1826 var liv i den gammeldags undervisningsform, hvor eleverne tegnede efter model ved lampelys. De bevarede malede modelstudier er også alle udført nogle år senere (se kat.nr. 28) Som en skjult pointe kommenterer Bendz ændringerne i kunsten på denne tid – han har ladet akademibetjenten på stigen indtage næsten den samme stilling som modellen, og flere af eleverne synes mere optaget af ham end af modellen. Hverdagens virkelighed tager med andre ord kunstnernes opmærksomhed fra modeltegningen og fra historiemaleriets ophøjede verden (denne udlægning er først fremført af Mogens Nykjær). Billedet viser tydeligt, at Bendz har været utilfreds med den forældede undervisning. Det er sikkert af denne grund, at han året efter opsøgte Eckersberg på ny, da han vel har håbet hos ham at kunne få, hvad undervisningen ikke gav.

Maleriet kan meget vel være malet som et modstykke til et maleri udført af akademiprofessoren C. A. Lorentzen året før, sådan som Henrik Bramsen har foreslået. Billedet skal ifølge kunsthistorikeren N. L. Høyen have været årsag til en del sladder, da det blev udstillet i 1826, velsagtens fordi eleverne på billedet kunne genkendes. Men de pågældende anekdoter kendes ikke i dag. Én person kan dog stadig identificeres: Maleren selv, der sidder i forgrunden til venstre og vender sig ud mod betragteren.

29 Familien Raffenberg. 1830

Olie på lærred. 44,9 x 39,7 cm.

Betegnet forneden t.th.: *WBENDZ 18 $\overset{6}{\underset{12}{\times}}$ 30.*

Gave 1991 fra Ny Carlsbergfondet. Inv.nr. 7594.

Det er et af livets vigtige øjeblikke, Bendz her har skildret: en ung mand har inviteret sin forlovede hjem for første gang, for at hun kan møde hans moder, og hun bliver nu præsenteret for et portræt af hans afdøde fader. Det unge par ser opmærksomt på billedet med stille alvor – han har øjensynlig lige fortalt om sin fader og peger stadig på maleriet. Hans moder har til gengæld fået et vemodigt udtryk i øjnene ved alle de minder, der vælder op i hende.

Scenen udspiller sig i et pænt borgerligt hjem i København. Maleriet er ét af de mange billeder, som Bendz og hans jævnaldrende kammerater malede af københavnske familier i deres hjem. Denne type billeder opnåede stor popularitet i Danmark i årene efter 1820, fordi netop familien var en grundsten i guldalderens bevidsthed. De afslappende småsysler i familiens skød var højdepunktet i en ellers slidsom tilværelse. Billederne skulle fastholde hverdagens hyggelige familiesamvær – eller som her en betydningsfuld begivenhed, men de skulle også fortælle bredere kredse om borgerskabets hverdag. De har altså skullet fungere som en bekræftelse på en livsform.

Den unge mand er Michael Raffenberg, som var 28 år gammel i 1830, da billedet blev malet, og som nu – tre år efter den juridiske embedseksamen – var godt på vej til at gøre karriere i centraladministrationen i generaltoldkammer- og kommercekollegiet. Som offentligt ansat embedsmand måtte han dog endnu tage til takke med en beskeden løn, og først fem år senere, i 1835, fik han råd til at gifte sig med sin udkårne, Sophie Frederikke Hagerup.

Michael Raffenbergs interesse for kunst var ikke begrænset til familiebilleder som dette. Han fulgte levende med i kunstlivet og sad en overgang i Kunstforeningens bestyrelse, ligesom han var ven med flere af malerne, bl.a. Bendz og Marstrand. Bendz var ydermere forlovet med hans søster Marie Raffenberg, men han døde, inden de nåede blive gift.

Der har været tvivl om, hvem den ældre dame er. Der findes ingen samtidig dokumentation om maleriet, men den traditionelle opfattelse har været, at hun skulle være Raffenbergs kommende svigermoder. Henrik Bramsen foreslog imidlertid i 1979, at det snarere var hans egen moder, hvilket forekommer mere overbevisende, når man aflæser personernes ansigtsudtryk.

Også maleriets datering har været diskuteret, og tidligere var det en

udbredt antagelse, at det skulle være udført så tidligt som 1823. Men en undersøgelse i museets konserveringsafdeling har endeligt fastslået, at Bendz signerede og daterede maleriet den 6. december 1830.

30 En vognport. Partenkirchen. 1831

Olie på lærred. 33 x 26,5 cm.

Betegnet forneden t.v.: *Partenkirch WB.* [monogram] *18 $\overset{28}{\underset{9}{\times}}$ 31*

Købt 1934. Inv.nr. 4081.

Kort efter at Bendz midt i september 1831 var kommet til München, tog han sammen med sin bekendt, den tyske maler Christian Morgenstern, på en tur til Alperne, og i Partenkirchen malede han dette billede af en vognport – og skabte et af den danske guldalders mest atmosfæremættede malerier. En ubrydelig ro hersker i det nøgne rum. Den ensomme skikkelse føjer en menneskelig dimension til motivet, men med den rygvendte figur, der synes hensunken i tanker, får billedet også et meditativt anstrøg. Hvorfor står han og stirrer ind i mørket?

Ideen til billedet synes at være kommet fra Bendz' rejsekammerat, som havde malet den samme vognport fra præcis den samme synsvinkel nogle måneder før, i januar samme år (påpeget af Barbara Eschenburg i 1984). Det er et af de meget få tilfælde, hvor arkitekturen spiller hovedrollen hos Bendz. I billedopbygningen er der en klassisk stramhed, som ikke gjorde sig gældende i hans tidlige billeder. Maleriet viser også en sikker beherskelse af perspektivet, hvilket utvivlsomt skal ses som påvirkning fra Eckersberg; denne havde i juli 1830 måttet hjælpe ham med perspektivkonstruktionen i et maleri, og inden afrejsen fra København havde læreren givet ham »nogle regler i perspektiven« (som Eckersberg noterede i sin dagbog den 5. november 1830 – det gentog sig et par gange i den følgende tid). Den monumentale skildring af noget så uanseligt som en vognport leder tanken hen på Eckersbergs opfordring til at »tegne efter Naturen, ligemeget hvad det er«. Også den fine registrering af det naturlige lys, der falder ind gennem porten, kan skyldes indflydelse fra Eckersberg.

Bendz har her opgivet de meget effektfulde og dramatiske skyggevirkninger, som han tidligere havde dyrket (specielt i maleriet *Et tobaksselskab* fra 1827-28; Ny Carlsberg Glyptotek). Men hans forkærlighed for clair/obscur-virkninger røber sig stadig.

30

Constantin Hansen   1804-1880

Constantin Hansen var en af Eckersbergs nærmeste elever. Han arbejdede inden for en lang række billedkategorier – især portrættet, genremaleriet og arkitekturmaleriet, men også det mytologiske og religiøse maleri. Ligesom sin lærer lagde han vægt på den stramme, klare billedopbygning. Han var dog en finere kolorist, og i sine bedste studier arbejdede han med farvevirkninger, der foregreb impressionismen.

Carl Christian Constantin Hansen blev født i Rom og døbt året efter i Wien (og fik kaldenavn efter sin gudmoder, Mozarts enke Constance, der var dansk gift). Han fik sin første kunstneriske uddannelse hos sin fader, portrætmaleren Hans Hansen (1769-1828). Det var imidlertid først tanken, at han skulle være arkitekt, og i 1816 kom han på Kunstakademiets Bygningsskole. Efterhånden fik han større interesse for maleriet og skiftede til Modelskolen i 1825. Først efter faderens død blev Constantin Hansen i 1829 elev af Eckersberg. Han deltog både i 1831 og 33 i guldmedaljekonkurrencen uden at vinde og forlod akademiet i slutningen af 1833. På denne tid helligede han sig først og fremmest portrætmaleriet, men hans gamle interesse for arkitektur ses afspejlet i flere arkitekturmalerier. I 1835 rejste Hansen til Italien, hvor han blev i blev i otte år, med lange ophold i Rom og Napoli. Ligesom sin lærer Eckersberg var han optaget af antikkens og middelalderens bygningsværker (se kat.nr. 35). Det italienske folkeliv kom imidertid til at indtage en vigtig rolle i flere af de større malerier, specielt *Vestatemplet med dets omgivelser. Rom* (1837) og *En oplæser på Moloen i Napoli* (1839) (begge Statens Museum for Kunst). En væsentlig del af Italiensopholdet tilbragte Hansen med at studere antikkens vægmaleri i Napoli og Pompeji, og sammen med dekorationsmaler Georg Hilker (1807-75) planlagde han udsmykningen af Københavns Universitets forhal med billedfelter og dekorative bånd efter antikt mønster. I årene efter hjemkomsten til Danmark i 1844 og helt frem til 1853 arbejdede han på denne opgave, der skulle blive guldalderens mest ambitiøse forsøg på at vække den antikke gudeverden til live igen i malerkunsten. I denne periode blev Hansen imidlertid stærkt grebet af de nationalliberale ideer og tog del i diskussionerne om en særlig nordisk kunst med motiver hentet fra den nordiske mytologi; til vennen, politikeren Orla Lehmann (1810-1870), udførte han 1855-57 et maleri af *Ægirs gæstebud* (Statens Museum for Kunst). Mod århundredets midte havde Hansen arbejdet sig væk fra Eckersbergs indflydelse (se kat.nr. 36). Velsagtens af økonomiske grunde helligede han sig i sine senere år næsten udelukkende portrætmaleriet, men påvirket af den nye tids idealer mistede portrætterne de tidligere arbejders lethed og finhed i penselføring og kolorit, og de kom til at virke dystre og tunge. Ligesom Købke fik Constantin Hansen afvist sit medlemsstykke til Kunstakademiet i 1846, og først i 1864 blev han omsider medlem.

Constantin Hansen. Malet af Albert Küchler. 1837. Statens Museum for Kunst.

31 Kunstnerens søstre Signe og Henriette. (1826)

Olie på lærred. 65,5 x 56 cm.
Ikke betegnet.
Købt 1910. Inv.nr. 3004.

Constantin Hansen har malet sine to søstre Signe og Henriette, mens de sidder og læser i en bog. Overfladisk betragtet er det en øjebliksskildring, men tiden er nærmest fastfrosset. De to piger sidder ubevægeligt stille. I stedet for at lægge en form for handling i billedet har Constantin Hansen været optaget pigernes fysiske fremtoning, og han har fremhævet deres plastiske form, så de på billedet nærmest tager sig ud som en bemalet skulpturgruppe. Denne bestræbelse er helt fremmed for de to malere, den unge maler ellers tog kunstnerisk bestik af, nemlig Eckersberg og C. A. Jensen. Det kan til en vis grad skyldes påvirkning fra hans fader, den mindre kendte portrætmaler Hans Hansen. Samtidig har Constantin Hansen været optaget af lysvirkninger, og han har betonet ikke blot lyset, der må formodes at komme fra et højtsiddende vindue til venstre for pigerne, men også genskinnet fra bogen og deres kjoler. Han har bevidst givet den ældste af søstrene et rødligt skær i ansigtet og den yngste et grønligt. Det klart u-eckersberg'ske præg i lysvirkning og farveholdning har forledt kunsthistorikeren Emil Hannover til i 1901 at fremsætte den formodning, at billedets farveholdning var ændret, fordi maleren skulle have benyttet dårlige materialer. Men maleriets tilstand er god, og den særprægede farveholdning skyldes ikke forfald, men kunstnerens bevidste valg.

Da Constantin Hansen året efter malede et beslægtet billede af tre af sine søstre, der sidder i faderens atelier (Statens Museum for Kunst), omtalte han det som »et Malerie forestillende Ingenting; [...] det er ikke andet end et simpelt Genrestykke – en Gruppe af trende Hoveder«. Denne udtalelse er af Henrik Bramsen blevet tolket som tegn på, at maleren overhovedet ikke lagde vægt på selve motivet og kun interesserede sig for »lyset og farven, musikken i billedet«. Men bemærkningen skyldes nok snarere undselighed over, at han ikke gav sig i kast med et af de historiske, mytologiske eller religiøse emner, der på denne tid endnu nød størst anerkendelse fra officiel side.

31

32 Kronborg. (1834)

Olie på lærred. 28,5 x 42,5 cm. Ikke betegnet.
Købt 1974. Inv.nr. 6815.

I sommeren og efteråret 1834 arbejdede Constantin Hansen ihærdigt på et større maleri af Kronborg. Tilskyndelsen fik han, da Kunstforeningen i København udskrev en konkurrence om at skildre »et Parti af det Indre eller Ydre af en af de mærkeligere [dvs. mere bemærkelsesværdige] Bygninger, eller af en offentlig Plads i Danmark.« Bag denne lidt uklare formulering gemmer sig tidens vågnende interesse for de nationale historiske bygningsværker, der i høj grad havde bevågenhed fra kunsthistorikeren N. L. Høyen, som også var konkurrencens bagmand. Gennem konkurrencen håbede han at vække de unge maleres interesse for middelalderens og renæssancens danske kirker og slotte. I juni måned boede Hansen i Helsingør og udførte flere olieskitser af slottet, bl.a. denne, der kom til at ligge til grund for det endelige maleri. Han gjorde sig en del overvejelser om, hvordan slottet ville tage sig mest fordelagtigt ud: »Jeg har seet det fra flere Sider og troer at den jeg har valgt *i det Hele* er den interessanteste«, skrev han til Jørgen Roed i begyndelsen af juni, da han var godt i gang med arbejdet. Han havde valgt at betragte slottet fra nordvest, det vil sige, han har stillet sig helt nede ved strandkanten for at male bygningen. Mere sikker på den valgte synsvinkel var han dog ikke end, at han et par uger senere igen var i tvivl: »De to Længer af Bygningen som jeg ser, er ikke saa smukke som de 2 andre, og det har atter gjort mig raadvild« (brev til Jørgen Roed dateret 13. juni). Grunden til hans tvivl var ikke kun, at han ønskede at gøre sit konkurrencearbejde bedst muligt, men også at han lagde nogle helt nye bestræbelser i sit billede. Hansen og hans jævnaldrende kammerater – især Købke – havde i deres tidligste arkitekturbilleder valgt motiv og synsvinkel for at skærpe deres sans for den arkitektoniske konstruktion og for de rumlige og lysmæssige forhold (se kat.nr. 43). Men nu drejede det sig om at vise bygningen fra dens mest repræsentative side, så dens historiske og arkitektoniske betydning kunne træde frem. Han har derfor vist slottet i sin helhed, set fra en af bastionerne, hvor bygningen tager sig allermest majestætisk ud. Det er helt udelukket, at Eckersberg kunne have malet Kronborg på denne måde. Med dette maleri var Constantin Hansen ikke blot med til at indføre en ny monumentalitet i dansk malerkunst, han tog også de første skridt til et brud med Eckersbergs kunstneriske linie.

32

I løbet efteråret udførte Hansen det store maleri af Kronborg (privateje).
Skitsens fint sansede skildring af lys og luft lykkedes det ham imidlertid ikke
at genskabe i den store komposition. Her er alle formerne strammet op, og
slottet tager sig da også mere stateligt ud, men billedet er præget af tørhed i
udførelsen. Ikke desto mindre vandt han den udsatte pengepræmie.

Ud over denne skitse kendes også en studie af *Trompetertårnets Spir på
Kronborg* (Statens Museum for Kunst).

33 Portræt af Hanne Wanscher. (1835)

Olie på Lærred. 33 x 25,7 cm.
Ikke betegnet.
Købt 1913. Inv.nr. 3200.

Allerede i studietiden begyndte Constantin Hansen at påtage sig portrætbe-
stillinger. Det skyldes, at han efter sin faders død i 1828 måtte tænke på at
skaffe sig indtægter. I dette tilfælde var det dog en god bekendt, der gav ham
en håndsrækning, og som til gengæld fik et fremragende portræt. Hanne
Wanscher, der var gift med den kunstinteresserede papirgrosserer Wilhelm
Wansher, var kusine til arkitekten Gottlieb Bindesbøll og omgikkes flere af
de unge kunstnere. På samme tid malede Constantin Hansen også hendes
forældre, forstander på Jonstrup Seminarium, Jens Ernst Wegener og hans
hustru, Marie Birgitte.

Constantin Hansen udførte portrættet af Hanne Wanscher, efter at han i
1829 var blevet elev af Eckersberg, og hans kunst dermed havde ændret
karakter. I forhold til billedet af hans to søstre fra 1826 (kat.nr. 31) er der
sket en stramning af billedopbygningen, og han har opgivet det raffinerede
spil med lys, reflekser og farvenuancer og har ladet et mere enkelt dagslys fal-
de på kvinden. Takket være den tilstræbte symmetri har billedet fået et klas-
sisk præg. Ved hjælp af sjalet har maleren dækket den komplicerede kjole og
har herved forenklet formerne. Som en næsten nødvendig modvægt til den-
ne stilisering har han fremstillet den unge kvinde med en let drejning af
kroppen og hovedet, så figuren ikke kommer til at virke stiv. I farveholdnin-
gen med de mange klare lokalfarver kan man måske, som Henrik Bramsen
har foreslået, se en påvirkning fra den yngre malerkammerat Købke.

33

34 Et selskab af danske kunstnere i Rom. 1837

Olie på lærred. 62 x 74 cm.
Oprindeligt betegnet (ifølge gammel angivelse): *Roma 1837 C. H.*
Testamentarisk gave 1913 fra biskop P. Madsen og hustru. Inv.nr. 3236.

I et værelse i Rom ses syv danske kunstnere samlet, helt fordybet i en indgående samtale. Hovedpersonen er arkitekten Gottlieb Bindesbøll, der ligger på et tyrkisk tæppe med en fez på hovedet. Han er midt i en længere udredning, mens de andre – seks malere – lytter mere eller mindre interesseret, dog alle med en alvorlig mine. Omkring dem ses flere skitser og udkast udført under opholdet i Italien. Hansen malede billedet i 1837, efter at han havde modtaget en bestilling på et maleri fra Kunstforeningen i København. Da han ydermere lod billedet udstille på Charlottenborg året efter, har han utvivlsomt villet vise det danske publikum, hvordan kunstnerne med alvor og engagement helligede sig deres kald i Rom.

Allerede i samtiden gav billedet anledning til diskussion. En anmelder mente, at kunstnernes alvor skyldtes en koleraepedemi i Rom. Kunsthistorikeren Høyen, der var bedre informeret, kunne berette, at Bindesbøll lå og fortalte om den rejse til Grækenland – »det skjønne Moderland for al Konst« – som han selv og Rørbye netop havde været på. De mest interesserede tilhørere har taget plads lige foran ham (Albert Küchler og Ditlev Blunck stående i døren, Jørgen Sonne siddende på bordet), mens en anden, Marstrand, der står på balkonen, synes mere interesseret i hvad der foregår udenfor og lader »Øjet dvæle ved fjernere Gjenstande«, og en tredie – Constantin Hansen selv – sidder for sig selv og virker mere optaget af tilhørerne. Rørbye, der sidder i døråbningen, »sysler med sin Kaffekop, for dog at have noget at bestille, paa en Maade, som Folk ofte bruge, naar de maa høre paa ting de selv kjende ligeså godt.« Rørbye havde jo været med på rejsen.

Denne udlægning svarer sikkert til Hansens egen idé. Meget tyder dog på, at maleren har haft dybere bagtanker med billedet, og det har givet anledning til flere tolkninger i nyere tid. Steen Friedlund Plewing har i 1975 søgt at påvise, at maleren havde udvalgt de syv kunstnere til sit billede, fordi de alle netop havde modtaget betydningsfulde bestillinger fra Kunstforeningen. Men da to af de syv ikke havde fået en sådan bestilling (men dog nød stor anerkendelse), måtte Plewing nøjes med at konstatere, at kunstnerne alle befandt sig »i en alvorlig og betydningsfuld fase i deres karriere«. H. P. Rohde har i 1982 fremført, at en S-kurve gennem billedet skulle give nøglen til det egentlige motiv; for denne kurve skulle ifølge Rohde ende ved Bindesbølls tegninger til Thorvaldsens kommende museum på bordet til højre, og det skulle være det, kunstnerne talte om. Imod disse forslag har Søren Kaspersen foreslået, at Hansen har villet skabe en hverdagsagtig gendigtning af Rafaels *Skolen i Athen*: Både idémæssigt og kompositorisk er der visse paralleller mel-

lem de to billeder. Ligesom den italienske renæssancemester har den danske maler ladet personerne gruppere sig omkring en åbning, der fører ud mod lyset, og personerne repræsenterer i begge tilfælde en kulturel elite. I de to billeder bliver tidens centrale ideer diskuteret. Men mens portalerne hos Rafael fører til en højere erkendelse, åbner Hansens dør ud mod den samtidige virkelighed, og de antikke filosoffer er erstattet af nogle ganske jordnære danske kunstnere. Billedet er altså tænkt som en »oversættelse« af Rafaels maleri til moderne billedsprog. Kaspersen har endvidere fremført, at kunstnernes alvorlige og meget lidt romantiserede fremtoning skal ses i sammenhæng med den samtidige politiske situation i Danmark, hvor man i liberale kredse sagligt argumenterede for indførelsen af folkestyre i Danmark.

Mens modtagelsen af billedet i samtiden var temmelig blandet, betragtes det nu som et af den danske guldalders hovedværker.

35 Athene-templet i Pæstum. (1838)

Olie på papir på lærred. 29 x 30 cm.
Ikke betegnet.
Købt 1879. Inv.nr. 1124.

I juni 1838 var Constantin Hansen sammen med vennen Jørgen Roed i Pæstum, hvor de udførte flere olieskitser af de antikke græske templer. Roed malede et par billeder, der viser flere af bygningerne side om side og giver indtryk af lokaliteten som sådan, hvorimod Hansen i sine malerier gik tættere på motivet og malede et forholdsvis snævert udsnit af det pågældende tempel – ganske som Eckersberg havde gjort godt tyve år tidligere i flertallet af sine romerske prospekter. I dette billede har han stillet sig inde i Athene-templet (som dengang blev identificeret som et Ceres-tempel), således at billedet indrammes af de to rækker søjler. Maleren har dog valgt sit standpunkt i den ene side af bygningen, så en streng symmetri er undgået, og så betragterens blik føres ind i billedet fra venstre langs den diagonale søjlerække mod gavlen og standses i højre side af den anden søjlerække, der ses i stærk forkortning.

Maleriet er udført med en forholdsvis fri malemåde og med en fin sansning af farvenuancer og lys og skygge. Det har ledt Knud Voss til at sammenligne billedet med impressionisternes malerier. Hensigten med Constantin Hansens maleri var dog en anden: det var tænkt som en skitse og kom også til at fungere som sådan, da maleren flere gange gentog motivet med en hyrde og nogle geder som staffage (første gang i 1841, dansk privateje; anden gang i 1854, Nasjonalgalleriet, Oslo; tredie gang i 1875, privateje).

35

36 En lille pige, Elise Købke, med en kop foran sig. (1850)

Olie på papir på lærred. 39 x 35,5 cm.
Ikke betegnet.
Gave 1917 fra generalkonsul Johan Hansen. Inv.nr. 3388.

Maleriet forestiller en ung pige, der sidder og rører i en kop, og hvis man holdt sig til den beskrivelse, kunne man tro, at det halvt var et portræt, halvt en hverdagssituation. Men der er ikke megen hverdag og heller ikke megen situation i det billede. I stedet for at skildre et af øjeblikkets optrin har maleren valgt at fastfryse al bevægelse. Herved har billedet fået et alvorsfuldt og ophøjet præg, som adskiller det fra den tidlige guldalder. Han har dog ikke opnået sine virkemidler alene ved en iscenesættelse af modellen. Han har i høj grad bearbejdet den synlige virkelighed. Han har rendyrket og forenklet pigens former med en usædvanlig konsekvens og har givet hendes hoved og krop en stærkt skulpturel form. I hvor høj grad han har stiliseret motivet, fremgår ved en sammenligning med en tegning af pigen, han udførte året får (Den kongelige Kobberstiksamling). Maleriets farveskala er meget begrænset og helt underordnet formen. Selv koppen, pigen rører i, virker helt pompøs. Men den åbenlyse, morsomme parallel mellem pigens runde ansigt og koppens runding antyder dog, at maleren midt i al den kunstneriske alvor måske alligevel har malet med et glimt i øjet.

Maleriet er karakteristisk for en generel tendens mod det ophøjede og monumentale i genremalerierne omkring 1850, specielt hos Jørgen Sonne. En lignende bearbejdning af det sete findes slet ikke hos Eckersberg. I kunstnerisk henseende har Hansen grebet tilbage til tiden, før han kom under dennes påvirkning, og der er flere paralleller til hans tidlige billede af søstrene Signe og Henriette (kat.nr. 31). I den senere del af sit liv distancerede Hansen sig kraftigt fra Eckersberg og hans kunstneriske linie.

Maleriet forestiller Elise Købke, der var lillesøster til malerens hustru og en fjern slægtning til maleren Christen Købke.

36

Jørgen Roed   1808-1888

Jørgen Roeds kunst er præget af den samme nøgterne holdning, som man finder hos læreren Eckersberg. Han var da også en af dennes nære elever. I sin ungdom var han en af de mest ihærdige dyrkere af arkitekturmaleriet, men han udførte også genremalerier og portrætter. Velsagtens af økonomiske årsager var det dog den sidstnævnte billedkategori, han helligede sig i de senere år.

Roed kom allerede som 14-årig på Kunstakademiet i København, hvor han blev elev af portrætmaleren Hans Hansen og ven med dennes søn Constantin. Portrætmaleriet synes at have beskæftiget ham i de tidligste år, men efter Hansens død blev han elev af Eckersberg, og fra da af var arkitekturmaleriet hans hovedbeskæftigelse. Tilskyndet af kunsthistorikeren Høyen malede Roed en række billeder af middelalderens og renæssancens danske bygningsværker. Til Kunstforeningens konkurrence om det bedste arkitekturstykke i 1835 malede han *Karruselgården ved Frederiksborg Slot* og vandt førstepræmien (Det Nationalhistoriske Museum på Frederiksborg). I 1835-36 malede han både sommer- og vinterbilleder af Roskilde Domkirke (versioner i Statens Museum for Kunst & Aarhus Kunstmuseum), og i 1836 rejste han til Ribe i Sønderjylland for at male byens domkirke (jf. kat.nr. 38). I 1837 modtog Roed et rejsestipendium og tog til Italien, hvor han opsøgte en række af Eckersbergs gamle motiver. Det var fortsat arkitekturen, der især optog ham, specielt antikkens templer og middelalderens kirker, men han malede også en del landskaber. Sammen med Constantin Hansen rejste han til Napoli og malede flere af templerne i Pæstum. Roed udførte også enkelte genremalerier og samlede skitser til rejsens største og mest figurrige billede *Fængselsgården i Palazzo del Bargello i Firenze*, der blev fuldført hjemme i København i 1842 (Statens Museum for Kunst).

Under opholdet i Italien tog Roed dog også imod flere bestillinger på altertavler, da han måtte tænke på sit levebrød. Efter hjemkomsten i 1841 blev dette endnu mere påkrævet, og det var som portrætmaler, han i 1844 blev medlem af Kunstakademiet. Påvirket af de nye nationale strømninger malede han i de følgende år flere genremalerier, først og fremmest *Haven med den gamle døbefont* fra 1850, hvor han har lagt religiøse symbolik i skildringen af de to unge, der plukker frugt (Statens Museum for Kunst). Allerede i Rom havde han kopieret Rafael, og i 1850-51 malede han i Dresden en kopi efter dennes *Sixtinske Madonna* for rektor Martin Hammerich til hans bolig i København (nu Refugiet Fuglsang på Lolland). Ellers var det portrætmaleriet, der holdt ham beskæftiget i resten af hans lange liv; denne del af hans produktion fik dog ikke samme betydning som de tidlige billeder.

I 1862 blev Roed udnævnt til professor ved Kunstakademiet, men da havde han mistet følingen med de nye strømninger i kunsten.

Jørgen Roed. Selvportræt. 1829.
Den Hirschsprungske Samling.

37 En kunstner på vandring. 1832

Olie på lærred. 58 x 48 cm.
Betegnet på stenen i forgrunden t.v.: *I. ROED. 1832.*
Arv 1961 efter Alfred og Antonie Thomsen. Inv.nr. 2063.

Når de danske malere omkring 1830 skildrede en af deres kammerater midt i arbejdet, viste de ham gerne i hans atelier. For det var trods alt dér den væsentligste del af arbejdet fandt sted. Men Roed har her for en gangs skyld malet en kunstner, der befinder sig ude i naturen. I skyggen af en tilgroet, romantisk kæmpehøj har en maler slået sig ned og sidder i dybe tanker, mens han åndsfraværende tegner et ansigt i stiens sand med sin stok. Måske har han fået ideen til en ny komposition? Den sammenklappede feltstol, der er fæstnet oven på tornysteret på hans ryg viser, at han er draget ud i landskabet for at tegne og male. Efter al sandsyndlighed forestiller billedet Roed selv. Kunstnerens påklædning og hele fremtoning er langt mere romantisk end i de andre kunstnerskildringer fra de foregående år (af Blunck, Bendz og Købke), og der er en sammenhørighed mellem kunstner og natur, som endnu ikke havde vundet indpas i dansk kunst i begyndelsen af 1830'rne, heller ikke i Roeds egne malerier. Det havde den til gængæld godt ti år senere, da Skovgaard malede Lundbye, der sidder udendørs i landsbyen Vejby og arbejder (Statens Museum for Kunst).

Der har været tvivl om, hvem kunstneren på billedet var. Både teatermaleren Troels Lund og dekorationsmaleren Georg Hilker har været foreslået, men Hanne Jönsson har i 1983 på overbevisende måde peget på Roed selv.

37

38 Ribe Domkirkes indre. (1836)

Olie på lærred. 35,5 x 33 cm.
Oprindelig betegnet på bagsiden: *18 JR [monogram] 3[6?]*
Købt 1888 af kunstnerens enke. Inv.nr. 1331.

I marts 1836 udsatte Kunstforeningen i København en præmie for »en Fremstilling af det Indre eller Ydre af Domkirken i Ribe«. Ideen til konkurrencen kom uden tvivl fra kunsthistorikeren Høyen, der i årene efter 1829 gjorde en stor indsats for at skabe større offentlig opmærksomhed omkring middelalderens og renæssancens danske bygningsværker. I 1830 havde han under et tre uger langt ophold i Ribe kunnet konstatere, at domkirken var i stærkt forfald, og det var derfor hans tanke, at kirken burde skildres, ikke som den rent faktisk så ud, men som den burde se ud. Det har han givetvis forklaret Roed, før denne i juni 1836 begav sig til Ribe, for det viste sig, at maleren tilsluttede sig Høyens restaureringsprincip, at de historiske monumenter burde befries for senere tilføjelser og føres tilbage til den oprindelige tilstand. Det formulerede han med stor klarhed i en redegørelse, han sendte til Kunstforeningens tidskrift *Dansk Kunstblad*: »Paa mit Malerie sees Kirken fra den sydvestlige Ende af den midterste Gang [dvs. hovedskibet] op mod Alteret, saa at man faar Indsigt i de to Sidegange [sideskibe] tilvenstre. Orglet og pulpiturerne har jeg taget bort, som og Kalken af Søjlerne og Granitbaandene for at faa Graniten frem og i det Hele [har jeg] søgt at give alt et Udseende, som det efter min Formening ved ringe Hjælp kunde og burde have«. Specielt fjernelsen af orglet spillede en væsentlig rolle, da det skyggede for vinduerne i apsis: »Orglet er anbragt midt over Skibet, og overskærer det saaledes, at Indsigten i Koret ganske betages.« Det var derfor et temmelig mørkt rum: »Af Lysvirkning er der ikke meget; da Lyset kun sparsomt kommer igjennem Sidevinduerne, der halvt ere tilmurede«. Dette indtryk bekræftes af en beretning i samme nummer af *Dansk Kunstblad*, skrevet af »en ung Videnskabsmand« (der uden tvivl var identisk med Høyen): »Jeg blev især slaaet af Lysvirkningen, idet jeg traadte op i Choret fra den noget mørke Kirke og følte mig underligt oplivet ved det nedstrømmende Lys«.

Roed valgte at ændre lysvirkningen radikalt, og det ses tydeligt i denne skitse, som han malede på stedet. Der er ingen stærke kontraster. Det bløde, jævnt fordelte dagslys giver kirkerummet et helhedspræg, som det ikke havde på den tid. Hvad der tager sig ud som en registrering af et synsindtryk, er altså i vid udstrækning en konstruktion. Lyset på billedet svarer mere til lyset i et hollandsk 1600-tals maleri af et kirkeinteriør end til virkelighedens. Alligevel viser billedet malerens fine evne til at registrere de skiftende nuancer i bygningens murværk og gulv.

Roed anlagde den mest repræsentative synsvinkel på kirkens indre – skibet set mod koret. Det er den klassiske synsvinkel i skildringer af kirkeinteri-

ører, men den er uhyre sjælden i den danske guldalderkunst. Eckersberg valgte den aldrig, og han opmuntrede sine elever til at betragte kirkerne fra mere utraditionelle synsvinkler. Det gjorde såvel Roed som Hansen og Købke i starten (jf. kat.nr. 43). Men nu da sigtet med billedet var et andet, havde Roed ændret standpunkt.

I efteråret 1836 udførte Roed motivet i stort format (Den Hirschsprungske Samling), og han vandt den udsatte pengepræmie. Med denne konkurrence gik Kunstforeningen klart videre end i de tidligere opgaver inden for arkitekturmaleriet (jf. kat.nr. 33). Det blev imidlertid sidste gang, der blev udskrevet en konkurrence inden for arkitekturmaleriet.

Frederik Sødring

1809-1862

Frederik Sødring er en af de få malere fra den danske guldalder, der udelukkende helligede sig landskabsmaleriet. Med sin udtalt romantiske holdning skilte han sig ud fra Eckersberg og hans nære elever, og modsat disse dyrkede han især norske og tyske motiver. Sin vigtigste inspiration fandt han hos J. C. Dahl.

Sødring var født i Aalborg, men han tilbragte det meste af barndommen i Norge. Han begyndte på Kunstakademiet i København i 1825, men kom ikke i nærmere berøring med Eckersberg. Til gengæld modtog han ved siden af akademiundervisningen vejledning fra landskabsmaleren J. P. Møller. I 1828 debuterede han på Charlottenborg med to kopier efter Dahl. En vis forbindelse til Eckersberg-skolen havde han dog, først og fremmest gennem venskabet med Købke, hvilket ikke mindst satte sig spor i hans tidlige malerier med københavnske motiver. Sødring fortsatte på Kunstakademiet til midten af 1830'rne. Han foretog en række udenlandsrejser, men i modsætning til sine jævnaldrende kammerater rejste han aldrig til Rom. Han søgte udlandets storslåede bjergegne, første gang i Syd- og Mellemsverige, hvor han opholdt sig i 1831-32. I 1833 var han om sommeren i Norge for at male, og da han vendte tilbage året efter, mødte han Dahl, som han ledsagede på en sørejse langs den norske skærgårdskyst. I 1836-38 opholdt Sødring sig i München, hvorfra han foretog flere mindre udflugter; men han kom dog aldrig længere mod syd end Alperne. I 1840-41 var han atter i Tyskland. I de panoramiske norske bjerglandskaber fra Norge ses en stærk påvirkning fra Dahl, og i maleriet *Sommerspiret på Møens Klint* fra 1831 (Statens Museum for Kunst) mærkes tillige afsmitning fra Caspar David Friedrich. Hans maleri *Ung kvinde siddende i et norsk landskab* fra 1834 (Statens Museum for Kunst) synes direkte inspireret af Friedrichs træsnit *Kvinden med edderkoppespinnet*. På rejserne i Tyskland blev han inspireret af landskabsmaleriet i München, især Carl Rottmanns idealiserede billeder. Han brød nu med Eckersberg-skolens naturtro gengivelse af lyset, og indførte en langt mere effektfuld belysning, specielt i maleriet *Slottet Büresheim ved Eifelfloden* fra 1838 (Statens Museum for Kunst). I 1840'rne malede Sødring fortrinsvis tyske motiver, men ved krigsudbrudet i 1848 vendte han tilbage til de norske landskaber. Efter 1850 holdt han dog næsten helt op med at male, måske fordi han i de foregående år var kommet i modsætning til det nationalromantiske landskabsmaleris tilhængere på grund af de tyske motiver.

I sine billeder viser Sødring ofte sans for stemningsfulde motiver, men hans udpensling af detaljerne kan til tider virke meget tør, og i malerisk og koloristisk henseende hører han ikke til blandt guldalderens betydeligste malere. I sin samtid nød han forholdsvis stor anerkendelse, uden dog at stå i første række. Sødring gled imidlertid nærmest helt ud af den kunsthistoriske

Frederik Sødring. Malet af Christen Købke. 1832. Den Hirschsprungske Samling.

litteratur i slutningen af århundredet, da kunsthistorikerne især gav sig til at dyrke guldaldermaleriets maleriske og koloristiske kvaliteter. Først i løbet af 1970'erne har hans kunst fået ny opmærksomhed.

39 Charlottenborgs baggård. 1828

Olie på lærred. 26,3 x 28,2 cm.
Betegnet ved højre kant: *F. Sødring 1828, pinxit*
Købt 1988. Inv.nr. 7442.

Skønt Sødring ikke tilhørte kredsen omkring Eckersberg, synes han her at have fulgt lærerens opfordring til eleverne om at male det første det bedste motiv – »ligemeget hvad«, som Eckersberg udtrykte det. Her har Sødring valgt et motiv, der dårligt kunne være mere nærliggende for en akademielev. Han er ikke gået længere end til baggården mellem Charlottenborg og nabopalæet, hvor han har sat sig til rette og har malet, hvad han så – Eckersbergs vasketøj! Motivet som sådan var underordnet for ham, og billedet blev udført som et øvelsesstykke. Det gjaldt for ham om at skærpe iagttagelsesevnen og dygtiggøre sig i at gøre rede for de mange forskellige materialer. Med stor fordybelse har han skildret murværket, træbaljerne, vandposten, det mosbegroede halvtag, vasketøjet – og ikke mindst spillet mellem sollyset og skyggerne på muren og brostenene.

Eckersberg havde sin embedsbolig i stueetagen i den lejlighed, hvis vinduer ses over halvtaget. Vasketøjet kan dog selvsagt også have tilhørt en af de andre professorer.

Maleriet blev i 1829 erhvervet af Gottlieb Collin, der var søn af Jonas Collin, H. C. Andersens velynder. I 1830 udstillede Sødring en anden version af motivet på Charlottenborg.

39

40 Et parti af Marmorpladsen med ruinerne af den ufuldførte Frederikskirke. 1835

Olie på lærred. 77,5 x 98 cm. Betegnet forneden t.v. på en stenblok:
14
18 ✕ 35. F. Sødring, og forneden midtfor på en stenblok: *1835*.
2
Købt 1835. Inv.nr. 263.

Et af guldalderens mest yndede motiver var ruinen af den ufuldførte Frede-rikskirke (også kaldet Marmorkirken) i København. Kirken var oprindelig planlagt i 1749 af arkitekten Nicolai Eigtved i sammenhæng med palæerne på Amalienborg Plads. I 1756 ændredes projektet af den franske arkitekt Nicolas-Henri Jardin, men opførelsen gik snart i stå. Et nyt forslag fra arki-tekten Caspar Frederik Harsdorff i 1798 blev heller ikke realiseret. I det meste af 1800-tallet lå kirken derfor hen som en ruin, indtil arbejdet omsi-der blev genoptaget i 1878, og i 1894 blev den indviet. En lang række af guldalderens malere, der sværmede for Roms antikke levn, lod sig lokke af den maleriske ruin midt i den danske hovedstad – det var dog en form for erstatning for den ægte vare!

Eckersberg var den første, der behandlede motivet, omkring 1817, dvs. lige efter sin hjemkomst fra Rom (Den Hirschsprungske Samling). Han har valgt at se facaden og de halvt opførte søjler i stærk forkortning, og billedet fremtræder mest af alt som en afprøvning af hans erfaringer i perspektivkon-struktion. Der er intet romantisk sværmeri i hans billede. Wilhelm Bendz tog motivet op i 1824 og betragtede ruinen indefra (Det Nationalhistoriske Mu-seum på Frederiksborg), og omkring 1835 fulgte Frederik Sødring efter med flere studier og dette gennemarbejdede maleri. Udgangspunktet var den ro-mantiske ruin, men Sødring har fortabt sig i de maleriske huse, hvis facader stødte op til pladsen. Han har dog fordelt interessen ligeligt mellem kirken og husene. Disse vildtvoksende huse hørte så afgjort ikke med til byens re-præsentative side, men maleren har ikke søgt at forskønne motivet. Han har skabt et rigt farvespil af de mange grålige og brunlige nuancer i husenes tilso-dede, afblegede og delvis afskallede murværk og i kirkeruinens sten, der er stribede af regnvand. Denne varierede virkning gøres endnu mere livfuld af det utal af skygger, som bliver kastet hen over murværket og tagene af det klare sollys. Sødring har ladet en næsten ubrydelig ro herske i maleriet, men samtidig har han spillet på modsætningen mellem den stille uddøde stem-ning i den tilgroede ruin og det levende miljø bag husenes facader, der anty-des af røgen fra skorstenene, blomsterne i vinduerne, markiserne, vasketøjet og madrasserne, der er lagt til luftning i solen.

I årene efter 1835 blev Frederikskirkens ruin skildret af en række andre malere, deriblandt Thorald Læssøe og Georg Emil Libert.

40

Wilhelm Marstrand 1810-1873

Wilhelm Marstrand lagde i sine billeder større vægt på det fortællende og illustrerende end nogen anden af Eckersbergs elever. Genremalerierne og de litterære og historiske motiver spillede en særlig rolle for ham, men han var tillige en flittig portrætmaler. Derimod gav han sig ikke af med arkitekturmaleriet. Han var uhyre arbejdsom, hvad både hans ofte skitseagtige malerier og talløse tegninger vidner om. Skønt han var Eckersbergs yndlingselev, valgte han hverken sin lærers motiver eller udtryksform.

Marstrand kom på Kunstakademiet i København i 1825. Da hans fader var ven med Eckersberg, blev han dennes private elev allerede i 1826, tre år før han nåede Modelskolen. Han fortsatte på akademiet til 1833 og deltog i guldmedaljekonkurrencen dette år og i 1835, dog uden at vinde. På denne tid var han ellers især beskæftiget med københavnske hverdagsmotiver med et humoristisk islæt, såsom *En flyttedagsscene* fra 1831 (Nivaagaards Malerisamling) og *En gadescene i hundedagene* fra 1832 (Statens Museum for Kunst; se introduktionsartiklen, fig. 21). Sideløbende hermed udførte han en del portrætter. I 1836 rejste Marstrand til Rom, hvor han blev storleverandør af rørende, pudsige og ofte ironiske billeder af det italienske folkeliv, først og fremmest *Oktoberfesten. Lystighed uden for Roms mure på en oktoberaften* fra 1839 (Thorvaldsens Museum). Her ses tydelig inspiration fra Bartolomeo Pinellis raderinger, som han havde kopieret allerede i studietiden. I 1841 vendte han tilbage til København og blev medlem af Kunstakademiet med et motiv fra Ludvig Holbergs komedie *Erasmus Montanus* (1843, Kunstakademiet, gentagelse fra 1844 på Statens Museum for Kunst). Fra da af kom det fortællende og illustrerende til at spille endnu større rolle i hans kunst, og Holberg blev hans yndlingsforfatter. Marstrand kunne ikke tilslutte sig den opblomstrende, skandinaviske nationalisme i 1840'rne, med lod sig dog lokke af H.C. Andersen til Dalarna i Sverige for at male den berømte kirkefærd over Siljansøen i 1853 (Statens Museum for Kunst). Hele livet igennem rejste Marstrand meget; i 1845-48, 1853-54 og 1869 var han atter i Italien, i 1861 i Tyskland, Frankrig og Nederlandene og i 1862 i London. I 1848 udnævntes Marstrand til professor ved Kunstakademiet efter Rørbyes død. I de senere år dyrkede han især historiemaleriet og malede dels den folkelige skildring af *Christian IV på flagskibet Trefoldigheden under slaget på Kolberger Heide* i 1863-66 (Roskilde Domkirke), dels *Lignelsen om den store nadver* i 1869 (Statens Museum for Kunst). Han fortsatte dog også med mere hverdagsagtige motiver. Marstrands skitseagtige og virtuose malemåde giver mindelser om Honoré Daumier, men han har ikke haft kendskab til den franske maler; ligesom denne var han optaget af Cervantes' *Don Quixote* og udførte i 1865-69 tyve litografier til en dansk udgave af bogen. Som tegner vekslede han mellem det humoristiske og det satiriske. Omkring århundredskiftet blev Marstrand reg-

Wilhelm Marstrand.
Malet af Christen Købke. 1836.
Statens Museum for Kunst.

net for periodens største danske kunstner, men i vore dage tillægges hans kunstneriske indsats ikke samme betydning.

41 Arkitekten Gottlieb Bindesbøll. (1834)

Olie på lærred. 31,5 x 26 cm.
Ikke betegnet.
Købt 1898. Inv.nr. 1620.

Arkitekten Gottlieb Bindesbøll har sat sig mageligt til rette overskrævs på en stol, og hans gemytlige smil antyder, at han nu er parat til at kaste sig ud i en venskabelig diskussion med sine kunstnerkammerater. Både den uarrangerede stilling og det levende udtryk i ansigtet får os til at tro på, at situationen er opstået spontant. Marstrand har her vist sig som en mester i at fange en persons karakteristiske stilling og bevægelser, som det ses af hovedets lette drejning, den foroverbøjede krop og hændernes greb på henholdsvis ryglænet og den anden arm. Billedet sprudler ligefrem af liv, og man mærker, at maleren og modellen kendte hinanden godt. Det er et vennebillede og er ikke tænkt som et egentligt kunstnerportræt. Der er ingen henvisning til de overvejelser om kunstnerens rolle, som ellers præger mange af tidens portrætter af kunstnere. Anledningen til, at Marstrand malede det, synes også at have været privat. Bindesbøll stod foran sin rejse til Italien, og vennen har sørget for, at hans familie fik et vellignende minde.

Bindesbøll var blandt sine kunstnerkammerater kendt som en ivrig debattør; han er da også den samlende figur på Constantin Hansens *Danske kunstnere i Rom* (kat.nr.34). Efter hjemkomsten i 1838 gik han i gang med opførelsen af Thorvaldsens Museum.

I dette tilfælde er det altså en af kunstnervennerne, Marstrand har malet. Men han udførte også en lang række portrætter på bestilling fra det københavnske borgerskab.

Maleriet er ikke dateret, men af et brev fra Bindesbøll til hans senere hustru fremgår det, at billedet er malet før hans afrejse i juli 1834.

41

42 Familien Waagepetersen. (1836)

Olie på lærred. 58,5 x 68 cm.
Ikke betegnet.
Købt 1916. Inv.nr. 3329.

Efter Bendz' død i 1832 var det især Marstrand, der kom til at nyde godt af Christian Waagepetersens interesse for kunst. Vingrossereren bestilte flere malerier og købte også andre af hans arbejder. Marstrand kom til at udføre et billede af familien i hjemmet, ligesom Bendz havde gjort seks år tidligere (privateje; se introduktionsartiklen, fig. 20). Han har vist familien samlet i dagligstuen. Børnene er optaget af deres leg ved sofabordet, mens moderen må vende opmærksonheden fra strikketøjet, da barnepigen kommer ind ned det yngste barn på armen. Kun én person mangler, nemlig husfaderen, der formodentlig er optaget af sine forretninger. Hans fravær er en påmindelse om, at grundlaget for borgerskabets økonomiske position var arbejdsomhed og flid. Personerne er grupperet mere levende og frit end i noget andet dansk familiebillede fra denne periode. Baggrunden er utvivlsomt, at de borgerlige normer nu var blevet en selvfølge og ikke længere behøvede at vises demonstrativt frem. Den eneste, der virker unaturlig og anspændt, er barnepigen, som er klædt i nationaldragt, og som ikke synes at befinde sig i sine rette omgivelser. Som andre barnepiger stammer hun fra landet (i dette tilfælde fra Hedeboegnen), for borgerskabet ønskede ikke, at deres børn kom i berøring med byproletariatet. Så hellere en barnepige fra et helt fremmed miljø. Hun gik altid i sin nationaldragt (hvilket landbefolkningen ellers ikke gjorde til daglig på denne tid!).

Marstrands bestræbelser på at fremstille en borgerlig familie på dens egne betingelser blev mødt med anerkendelse i samtiden, og anmelderen ved Kunstforeningens tidsskrift *Dansk Kunstblad* skrev begejstret om maleriet, da det i 1837 blev udstillet på Charlottenborg: »Ved at kaste et Blik paa dette Arbeide, glædes man strax ved det Lune og den Genialitet, hvormed Kunstneren har vidst at give os et sandt, naturtro Billed af det muntre utvungne Liv i en lykkelig Familiekreds. Betragt engang disse fire glade Børn, som paa den naturligste Maade ere grupperede omkring et Bord! [...] Sandelig, dette nydelige lille Maleri har i sin Composition og hele Udførelse noget saa tiltrækkende, at man ugjerne løsriver sig derfra.«

42

43 Parti i Århus Domkirke. 1830

Olie på lærred. 48,5 x 34 cm.
Betegnet forneden t.h.: *C. Købke 1830*
Købt 1889. Inv.nr. 1345.

Under et ophold i Århus i 1829 gik Købke i gang med at male et parti af byens domkirke. Motivet er kirkens tværskib, og maleren har stillet sig sådan, at rummet har virket enkelt og overskueligt. Det gjaldt derfor ikke om at gøre rede for en kompliceret arkitektur, men om at skabe rumlig dybde. Indtrykket af bygningens solide hvidkalkede murværk og det diffuse lys i rummet har han fremkaldt med uhyre fine virkemidler, først og fremmest gennem de skiftende farvenuancer på de forskellige murflader.

Købke påbegyndte billedet året efter, at han var blevet elev af Eckersberg, og det begrænsede motivudsnit og perspektivkonstruktionen vidner om påvirkning fra læreren. Nok så vigtigt er det imidlertid, at kunsthistorikeren Høyen netop i 1829 blev udnævnt til professor ved akademiet og påbegyndte sine rundrejser i Danmark for at undersøge og registrere middelalderens og renæssancens arkitektur. For at skabe større offentlig interesse for dette forsømte emne opmuntrede han de unge malere til at skildre nogle af de betydeligste bygninger. Samme år malede Constantin Hansen og Jørgen Roed hver et lignende billede af et kirkeinteriør, nemlig af Ringsted Kirke (henholdsvis Statens Museum for Kunst og Vestsjællands Kunstmuseum, Sorø). Den vågnende interesse for den danske middelalder kan aflæses direkte af Købkes billede. Kirketjeneren står med nøglerne i hånden og peger på gravstenene i gulvet, mens et par af Købkes malerkammerater hører, hvad han har at fortælle.

Maleriet er Købkes første modne værk, og det fremstår ikke som et øvelsesstykke, men som et mesterværk. Det blev ifølge malerens dagbog påbegyndt den 15. september 1829, men først fuldendt året efter. Det blev købt af Kunstforeningen i København og bortloddet. Købke udførte i 1831 en radering efter maleriet.

43

44 Udsigt fra et kornloft i Kastellet. 1831

Olie på Lærred. 39 x 30,5 cm.
Oprindelig betegnet på blændrammen: *C. Købke 1831*
Købt 1900. Inv.nr. 1662.

Op ad gangbroen til et kornmagasin kommer Købkes søster Cecilie Margrethe gående langsomt, travlt optaget af at strikke. Hun er så opslugt af sit håndarbejde, at hun tilsyneladende ikke bemærker, at hun bliver iagttaget. Det giver maleriet et præg af både uskyld og uforstyrret ro. Købke har lagt afgørende vægt på spillet mellem lys og skygge. Det mørke loftsrum står i kontrast til sollyset, der falder på trækronen og græsset i baggrunden. Træstammen står som en mørk silhouet mod de belyste blade. Enkelte solstrejf rammer kvindens kjole, dørtrinnet og gulvplankerne.

Farveholdningen er karakteristisk for Købke på denne tid. Alle farver er holdt inden for et begrænset spektrum af grønne og brune nuancer, som er tilpasset hinanden, bortset fra den røde kjole, der skiller sig klart ud og sætter de øvrige farver i relief. Døråbningen har en vigtig kompositionel funktion. Den indrammer motivet. Maleriet er beslægtet med et af de mest populære motiver i det tidlige 1800-tals maleri i Tyskland og Danmark – det åbentstående vindue, der fungerer som en dragende åbning fra det velkendte, trygge ud mod det fremmede, usikre og dog tillokkende (et tema, som Rørbye til dels har taget op i *Udsigt fra kunstnerens vindue*, kat.nr. 23). Man får lyst til at komme fra det kølige loft ud i det varme solskin. Men virkelig udlængsel tolker billedet ikke. I det hele taget er der tendens til, at Købke valgte sine motiver i tryg nærhed af hjemmet. I dette tilfælde er det set fra Kastelsbageriets kornmagasin ud mod volden, der omgiver den militære bastion.

Stik mod sædvane under Købkes Kastelsperiode (indtil 1833) har han udført tegnede forarbejder til maleriet, dels en tegning af den strikkende søster (Den kongelige Kobberstiksamling), dels en kompositionstegning dateret 3. juli 1831 (ejer ubekendt). Maleriet blev købt af Kunstforeningen i København i 1831.

44

45 Johanne Pløyen. 1834

Olie på lærred. 25 x 19,5 cm.

Betegnet på blændrammen: *Købke 18 $\frac{14}{11}$ 34*.

Arv 1908 efter frøkenerne Johanne og Emmy Pløyen. Inv.nr. 1670.

Købkes portrætter forestiller næsten udelukkende familiemedlemmer og venner, og han modtog kun ganske få bestillinger på portrætter. Når han endelig gjorde, blev bestillingen endda gerne formidlet gennem bekendte. Således også i dette tilfælde, hvor det var kunsthistorikeren N. L. Høyen, der formidlede kontakten mellem Købke og etatsrådinde Johanne Pløyen, som Høyen havde kendt siden sin barndom.

Købke har her givet et levende indtryk af den gamle dames væsen gennem hendes minespil og blik og hendes meget talende, knyttede hænder. Han har med held søgt at trænge ind i den portrætteredes karakter. Lignende forsøg findes praktisk taget ikke hos hans lærer Eckersberg, men til gengæld hos C. A. Jensen, og indflydelsen fra ham er her på sit højeste i Købkes kunst. Der er det samme øjeblikspræg som i dennes portrætter, ligesom den livfulde malemåde og den direkte konfrontation med modellen synes overtaget fra ham. Derimod er der mere stramhed i billedopbygningen og større konsekvens i gengivelsen af lyset end hos C. A. Jensen. Han var ikke elev af Eckersberg for ingenting.

Maleriet er karakteristisk for Købkes portrætter fra årene efter 1830: lille, uprætentiøst, uden megen iscenesættelse, men til gengæld umiddelbart og levende i opfattelsen af modellen, og tilsyneladende malet ud af et stort kunstnerisk og menneskeligt overskud.

45

46 Cecilie Margrethe Petersen. 1835

Olie på lærred. 94 x 74 cm.

Betegnet forneden t.v.: *C. Købke 18 $\frac{15}{4}$ 35.*

Købt 1912. Inv.nr. 3160.

Henimod midten af 1830'rne skete der en markant ændring i Købkes kunst. Helt bevidst tog han skridt i retning af en ny monumentalitet. Inden for hans portrætkunst indledtes den »monumentale fase« med dette portræt af hans søster kaldet Grethe, som betegnede et brud med de tidligere, mere ydmyge og intime skildringer af familiemedlemmerne. I stedet for at give et nærbillede er Købke trådt et skridt tilbage og har sørget for nøje at iscenesætte søsterens fremtoning. I forhold til tidligere har han arbejdet med en langt enklere billedvirkning. Stramme og klare linier indrammer søsterens skikkelse, formerne er blevet forenklet, nærmest stiliseret, og farveskalaen er reduceret til tre kraftige hovedfarver. Trods den nye, storladne motivopfattelse har Købke dog ikke søgt at forskønne modellen, men har skildret hende, som hun må formodes at have set ud.

Købke havde på forhånd sat sig for, at han ville skabe et billede, der rakte ud over hans hidtidige småportrætter, som det fremgår af et brev til søsteren Conradine, skrevet lige inden han gik i gang med billedet. Bagefter betonede han i et andet brev til hende »de bedske Timer« og al »den Møie og Besvær, det har kostet«, mens han kæmpede med maleriet. Han har på ingen måde leget sig til sin nye udtryksform, og billedet gav ham mange overvejelser og megen tvivl, før han fik det færdigt.

Om sin nye stil skrev han året efter til Jørgen Roed, at han var kommet til at føle, at han kun kunne udtrykke sig »med lidt«, dvs. med få virkemidler, forudsat at han gik ud fra »total Indtrykket af Maleriet«, altså tager billedets helhedsvirkning som udgangspunkt. Under sine kunstneriske overvejelser har Købke uden tvivl fået inspiration og støtte fra sin faderlige ven, billedhuggeren Freund.

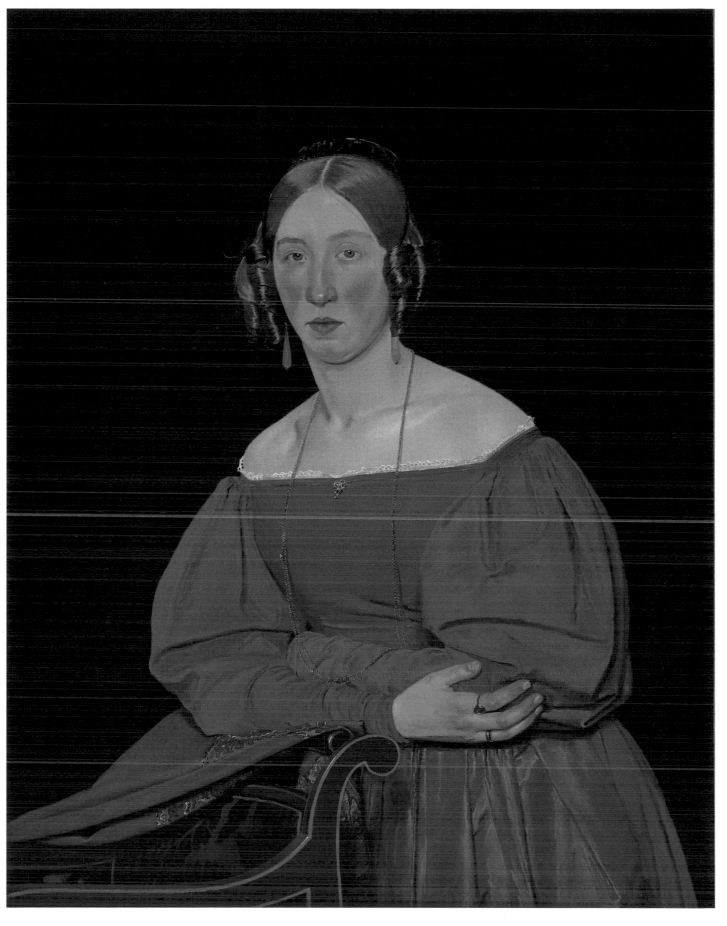

46

47 Frederiksborg Slot. Parti ved Møntbroen. 1836

Olie på lærred. 58 x 64 cm.

Oprindelig betegnet på bagsiden af lærredet: *C. Købke 1836* $\frac{2}{}$
Købt 1912. Inv.nr. 3148.

Mens Købke udførte maleriet af *Frederiksborg Slot ved aftenbelysning* (Den Hirschsprungske Samling), opstod der i august 1835 en afbrydelse af arbejdet, mens undermalingen til det store billede tørrede. Han udnyttede ventetiden ved at gå i gang med et andet billede af slottet, og i løbet af et par uger samlede han de nødvendige skitser, dels en malet oliestudie, dels en kompositionstegning og flere tegnede detaljestudier. Selve maleriet udførte han den følgende vinter hjemme i København og kunne signere det i februar 1836.

Købke har her valgt at betragte slottet fra nordvest, med Audienshuset og Møntbroen i forgrunden og med hovedbygningen i stærk forkortning. I dette billede er der en langt mere klassisk virkning end i det tidligere maleri, men også her skaber den fredfyldte sommeraften en udtalt romantisk stemning, og maleriet er præget af en nærmest højtidelig monumentalitet. Den historiske bygning har lokket nogle mennesker til sig, men i overensstemmelse med dansk mentalitet er det ikke ensomme romantiske vandrere, blot nogle købstadsborgere på aftenspadseretur.

Den malede skitse til billedet viser kun et stærkt beskåret udsnit af motivet (Statens Museum for Kunst), og den er udført midt på dagen, foran selve motivet, med helt anderledes raske og spontane penselstrøg. Sammenholdt med det gennemarbejdede maleri er det en flimrende øjebliksskildring, og man kunne måske fristes til at tro, at den skulle afspejle kunstnerens første og umiddelbare møde med motivet, mens det store billede skulle vise hans mere reflekterede holdning. Men det er på ingen måde tilfældet. Forud for skitsen udførte han en detaljeret tegning, hvor han fastlagde synsvinklen og billedopbygningen (privateje). Olieskitsens motiv udgør rent faktisk et nøje afgrænset udsnit af tegningens. Hensigten med olieskitsen har været at registrere farver, lys, luft og atmosfære, og til det formål har det været hensigtsmæssigt for maleren at have sanserne åbne for øjeblikkets indtryk. Hvad der ligner impulsivitet i oliestudien, er altså sket med fuldt overlæg. Men i det endelige billede, hvor slottets nationale betydning skulle træde frem, har han strammet formerne og har lagt større vægt på at markere bygningens arkitektoniske struktur og detaljer, og han har ændret tidspunktet til en romantisk sommeraften, for at naturen kunne underbygge den andagtsfulde stemning, som slottet gerne skulle hensætte betragterne i.

47

For at gavlmuren på Audienshuset kunne stå som en helt rolig flade har Købke ikke blot fjernet nogle træer, men også en 1700-tals trappebygning! Den mishagede Høyen, der var modstander af nyere tilbygninger til de historiske monumenter (trappebygningen kan ses på maleriet af *Frederiksborg Slot ved aftenbelysning*).

48 Den nordre Kastelsbro i København.
(Ca.1837)

Olie på papir på lærred. 24 x 34 cm.
Ikke betegnet.
Arv 1926 efter vekselerer Martin Cohen og hustru. Inv.nr. 3768.

Henved fire år efter at Købke var flyttet fra Kastellet, malede han denne stu-
die af den nordre Kastelsbro. Den var tænkt som forarbejde til et maleri, han
ville forære sin moder, velsagtens som et minde fra deres tidligere hjem. Det
skulle blive hans sidste maleri med motiv derfra.

Inden han gik i gang med at male, udførte han en kompositionstegning,
hvor han gjort rede for selv de mindste detaljer (Vejle Kunstmuseum). Ved
hjælp af tegningens kvadrering har han løseligt overført motivet til det papir,
hvor han så malede denne oliestudie (kvadreringen kan svagt anes gennem
himlens tynde lag maling). Denne fase af arbejdet foregik uden tvivl uden-
dørs foran motivet, mens det endelige maleri blev malet hjemme i atelieret
(National Gallery, London). Her er den løse, skitseagtige maleform, der er ty-
pisk for guldalderens små oliestudier, opgivet, og motivet er gengivet lige så
minutiøst som i kompositionstegningen. Soldaten, der læner sig op ad ge-
lænderet, er erstattet af en sømand, og der er indføjet nogle promenerende
borgere ved den fjerne ende af broen og et par drenge, der står i græsset og
fisker i Kastelsgraven. Dybdevirkningen er mere udtalt på grund af et tæt
bælte af siv, der er tilføjet i forgrunden.

Netop sivbæltet faldt teologen K. F. Wiborg for brystet, da den endelige
version blev udstillet i 1838. Han bemærkede, at mens de nyudsprungne
popler angiver tidspunktet som forår, nærmere bestemt maj måned, hører de
visnende siv til efteråret: »Denne Utroskab, denne Blanding af Foraar og
Efteraar forstyrrer aldeles Totalindtrykket«. I forlængelse heraf greb han Køb-
ke i manglende konsekvens i belysningen: »Endnu maa det mærkes, at Him-
len har Aftenbelysning, medens Jorden har Eftermiddagslys«. På dette punkt
var Købke mindre nøjeregnende end læreren Eckersberg. Ikke bare i dette
maleri, men også i *Frederiksborg Slot. Parti ved Møntbroen* (kat.nr. 47) og
Udsigt fra Dosseringen ved Sortedamssøen mod Nørrebro (kat.nr. 50) har Købke
ændret tidspunktet på dagen uden at ændre lyskilden og skyggerne tilsvaren-
de. Wiborgs indvendinger er ganske typiske for datidens kunstkritik – anmel-
derne så det som deres opgave at påtale kunstnernes »fejl«.

48

49 Udsigt fra Dosseringen ved Sortedamssøen. Studie. (Ca.1838)

Olie på papir på lærred. 21,5 x 30 cm.
Ikke betegnet.
Købt 1987. Inv.nr. 7385.

Ikke langt fra sit hjem har Købke fundet motivet til denne lille oliestudie. Fra stien nede ved Sortedamssøen har han set langs søbredden mod vest. Med papiret fæstnet til låget i malerkassen har han sat sig til rette og malet udsigten. Lige fra starten var studien tænkt som forarbejde til et større maleri (kat.nr. 50), og den har da også skitsens præg, med lette, hastigt påførte penselstrøg. Billedet kan meget vel være udført i løbet af en enkelt dag. Specielt himlen er kun løseligt malet, så papirets hvide farve blander sig med himlens lyse blå.

Før han udførte studien, havde han udført en minutiøs kompositionstegning, hvor han fastlagde hovedelementerne i billedet (Den kongelige Kobberstiksamling). Med hensyn til komposition og motivopfattelse svarer olieskitsen nøje til denne tegning, og hensigten med den malede studie var at registrere lys, luft og farver på stedet. Hjemme i atelieret skete den videre bearbejdelse af motivet, i to kompositionstegninger, men Købke gik dog udendørs igen for at supplere med flere tegnede detaljestudier, inden han malede det store billede (alle i Den kongelige Kobberstiksamling). I disse tegninger foretog han en række væsentlige ændringer af motivet – først og fremmest placerede han en trægruppe på søbredden lige ved bådebroen og indføjede et par kvinder på broen og en båd på vandet.

49

50 Udsigt fra Dosseringen ved Sortedamssøen mod Nørrebro. (1838)

Olie på lærred. 53 x 71,5 cm.
Ikke betegnet.
Købt 1839. Inv.nr.359.

På en stille sommeraften står to unge kvinder på en bådebro og ser efter en robåd, der langsomt fjerner sig på søen. Der udspiller sig ikke noget egentligt optrin, men alligevel fortælles der en historie. Det er en historie uden ord og handling, blot et stemningsbillede, hvor temaet anslås: afsked og adskillelse. At selskabet i båden i virkeligheden ikke kunne komme særlig langt væk på den lille sø, er helt uden betydning for billedets udsagn.

Maleriet hører – trods sit forholdsvis beskedne format – til blandt Købkes store, gennemarbejdede kompositioner. Til grund for billedet ligger den lille oliestudie af den samme udsigt (kat.nr. 49), foruden flere tegninger, hvor han på væsentlige punkter justerede motivet. Købke har nok støttet sig til forarbejderne, men han har strammet kompositionen og trukket alle linier op, lige fra søbredden til flagstangen. Den ikke særlig iøjnefaldende forstadsnatur virker nu statelig og monumental. Farveholdningen har han endvidere ændret radikalt. Olieskitsens varme præg med den lette lyse blå farve i himlen og vandet og de gulgrønne nuancer i græsset og træerne er i det store billede erstattet af en køligere tone. Himlen har fået et svagt grønligt skær i den kolde blå farve, og søen en let rødviolet (hvilket tager sig ud som en optisk umulighed, men rent faktisk stadig kan iagttages ved søen, når solen går ned til højre for billedudsnittet). Den ændrede farveholdning er med til at betone, at også tidspunktet på dagen er flyttet. Studiens solskinsdag er erstattet af en mere stemningsfuld og poetisk sen eftermiddag kort før solnedgang (ved en forglemmelse kommer lyset dog stadig fra venstre, dvs. syd!). Der er kommet klart romantiske toner i billedet, og skildringen er hævet over den jævne hverdag.

En vigtig tilføjelse i billedet er flaget. Det er med til at gøre kompositionen mere markant, ligesom den røde farve afvejer de kølige nuancer. Samtidig styrker flaget det stemningsfulde og romantiske i billedet og understreger, at det er et *dansk* forstadslandskab, vi betragter, og det knytter maleriet til de nationale strømninger, der netop på denne tid tog et kraftigt opsving.

Købke lod maleriet udstille på Charlottenborg i 1839, hvor det blev vel modtaget af anmelderen ved *Portefeuillen for 1839* (som formodentlig er identisk med bladets udgiver, Tivolis grundlægger Georg Carstensen). Han viste dog ved den lejlighed, at han ikke havde haft sans for malerens tidligere arbejder: »Næsten i alle sine Arbeider har denne Kunstner udmærket sig ved samvittighedsfuld Sandhed og Simpelhed, men desværre ogsaa ved en iøine-

faldende Ligegyldighed for Valget af sine Fremstillinger, hvilket Sidste vist-
nok er noget høist dadelværdigt, da Naturen besidder meget kjedeligt og
uædelt, som ikke kan være nogen værdig Gjenstand for Kunsten. Med Glæde
see vi derfor i dette Maleri et Valg, der er Kunstnerens Pensel værdig; den
rolige, dæmrende Sommeraften er fortræffeligt udtrykt, Sollyset, som falder
paa træerne til venstre, varmt og skuffende [dvs. illuderende]; Figurerne godt
tegnede, og Aftenens dunkle Skygger synes efterhaanden at liste sig frem over
Egnen. Det Hele er en yndig Idyl, ved hvilken vi gjerne dvæle.«

Maleriet blev købt af Den kongelige Malerisamling i 1839 – som det
første af de to, der blev erhvervet i malerens levetid.

51 Bugten ved Napoli med Vesuv i baggrunden. (1839-40)

Olie på papir på lærred. 24,9 x 35 cm.
Ikke betegnet.
Arv 1932 efter ingeniør Johannes Rump. Inv.nr. 3947.

Da Købke i 1838 tog til Italien, var det ikke for at gentage sin lærers romerske prospekter, sådan som flere af de lidt ældre Eckersberg-elever havde gjort. Allerede inden afrejsen havde han besluttet at tage til Napoli og derfra gøre udflugter til omegnen. Specielt synes han at have forberedt sig på at male på Capri, og han samlede da også skitser til flere store kompositioner med motiver fra øen. Men han fandt tillige lejlighed til at male i selve Napoli, bl.a. denne studie af udsigten tværs over Napoli-bugten mod Vesuv – det mest oplagte motiv overhovedet. Han har valgt at skildre motivet på en stillestående, hed sommerdag, hvor alt er badet i sollys, og hvor bjergene i det fjerne fortaber sig i varmedis. I motivopfattelsen er denne skitse nært beslægtet med hans maleri af *Castel dell'Uovo i Napoli* (Statens Museum for Kunst), og begge billeder er udført direkte foran motivet med oliefarver på et et stykke papir, der var fæstnet til låget i hans malerkasse, formodentlig på nogenlunde samme tid; formatet på de to billeder er også næsten identisk. Men i modsætning til Castel dell'Uovo-billedet arbejdede Købke videre med dette motiv og gentog det i et stort maleri i 1843 (privateje).

Dér er skitsens evighedspræg forsvundet, og i forgrunden er der tilføjet en række fiskere, som fordriver tiden eller er i færd med at gøre deres både klar. Bådenens specielle napolitanske særpræg er ydermere betonet, og Napolis bygninger i det fjerne er også langt mere minutiøst malet; ved skildringen af baggrunden har Købke tydeligvis støttet sig til en bevaret studietegning (Den kongelige Kobberstiksamling). Det store maleri blev udstillet på Charlottenborg i 1843, men tiltrak sig ikke anmeldernes opmærksomhed. På denne tid var i hvert fald flere af kunstkritikerne trætte af de mange italienske prospekter og efterlyste flere danske motiver. Billedet blev til gengæld købt af Kunstforeningen, og ved den årlige lodtrækning tilfaldt det en kunsthandler i Leipzig, som solgte det til Städtisches Museum i Leipzig. Det er dog siden blevet solgt igen og har været i dansk privateje, men er i 1993 erhvervet af Toledo Museum of Art i Ohio. Skitsen forblev i Købkes eje og har siden tilhørt hans søn, Peter Købke.

51

52 Havetrappen ved kunstnerens malestue. (Ca. 1845)

Olie på papir på lærred. 22,3 x 32,8 cm.
Betegnet på blændrammens skjulte side: *Havetrappen ved min Malestue*
Købt 1969 med tilskud fra Kunstmuseets Venner. Inv.nr. 6605.

Efter faderens død i 1843 blev Købke boende på Blegdammen i to år, indtil moderen i 1845 blev nødt til at sælge deres ejendom. Det var formodentlig først omkring denne tid, Købke gav sig til at male billeder fra selve gården. Velsagtens for at bevare et minde fra sit hjem gennem tolv år udvalgte han nogle motiver, der havde haft tilknytning til hans hverdag, og som vel at mærke alle er hentet fra den del af huset, hvor han havde sin egen lejlighed (se kataloget til udstillingen *Købke på Blegdammen og ved Sortedamssøen*. Statens Museum for Kunst, 1981). Et af disse motiver var havetrappen, der førte op til hans malestue. Synsvinklen og motivets afskæring er påfaldende »skæv«. Gavlen og trappen er skåret over af billedets kant, og facaden ud mod vejen er set i meget stærk forkortning. Skildringen er helt urepræsentativ og giver kun et begrænset indtryk af huset. Det kan undre i betragtning af Købkes formodede hensigt med billedet. Det kan synes, som om det var sollyset, der har bestemt synsvinklen. Gavlen er i skygge, mens facaden er stærkt belyst, ligesom der falder solstrejf på havedøren og på det frodige træ. Sollyset får herved en utrolig intensitet.

Tagstenene er ikke malet færdig i venstre side af billedet. Måske nåede maleren ikke at fuldføre maleriet, inden han flyttede, og det sandsynliggør en datering omkring 1845, sådan som museets tidligere direktør Jørn Rubow har foreslået. Som pendant til billedet udførte han et maleri af et hjørne af huset set fra haven (Statens Museum for Kunst); begge billeder har fået en mørkegrøn malet indramning, hvilket viser, at de har været ophængt uindrammede.

Ifølge en nu forsvunden seddel bag på billedet tilhørte det allerede i 1847 søsteren Juliane Købke.

Dankvart Dreyer   1816-1852

Dankvart Dreyer hører til den yngste generation af guldaldermalere og er en af nationalromantikkens landskabsmalere. Han står som den, der for alvor indførte Fyns og Jyllands natur i dansk kunst. Hans store gennemarbejdede malerier bærer i høj grad præg af uro og dramatik, i modsætning til det samtidige danske landskabsmaleri. Vidtstrakte panoramaer af forblæst natur blev hans specielle bidrag til guldalderkunsten.

Dreyer blev født i Assens og kom 15 år gammel på akademiet i København i 1831. Han blev elev af den danske nazarener Johan Ludvig Lund, og påvirket af ham forsøgte han sig med histioriemaleriet, men uden større held. Han slog sig i stedet mere og mere på landskabsmaleriet. I midten af 1830'rne modtog Dreyer påvirkning fra Købkes små skitser, men efterhånden fik J. C. Dahls natursyn afgørende betydning for ham. Dreyer var i 1838 med til at markere det nationalromantiske landskabsmaleris gennembrud sammen med Lundbye og Skovgaard. Han søgte længere væk fra hovedstaden end dem, og netop i 1838 rejste han til Jylland, som hidtil havde været en ukendt landsdel for kunstnerne – og københavnerne i øvrigt. Selv om han i de følgende år malede en lang række jyske motiver, forblev fødeøen Fyn udgangspunktet for hans kunstneriske arbejde. Til gengæld afholdt han sig helt fra at male sjællandske motiver.

Dreyer syntes ikke altid at have haft kræfter til at kunne realisere sine intentioner, og hans kunst har et ujævnt præg. Men når den er bedst, spænder den fra det sarte og bevidst disharmoniske, som i *Carolinekilden på Fyn* (1845, Statens Museum for Kunst) til det dynamiske og storslåede, mest udtalt i *Udsigt fra Mølleknap Bakker mod Lillebælt* (ca.1848, sammesteds). Dreyer havde sværere ved at gøre sig gældende i det københavnske kunstmiljø end Lundbye og Skovgaard, og han opnåede ikke en position svarende til deres. Han opnåede aldrig et rejsestipendium fra Kunstakademiet, fik gennemgående negativ kritik i avisernes udstillingsanmeldelser og havde svært ved at få sine værker solgt. I 1848 opgav han at leve som maler og købte en gård på Fyn, hvor han levede sammen med sin moder og søster. Her døde han ensom og glemt i 1852, og det var først omkring år 1900, han blev genopdaget og fik en plads i første række i den danske kunsthistorie.

Dankvart Dreyer. Selvportræt. 1838. Fyns Kunstmuseum, Odense.

54 Bro over kirkegårdsåen i Assens. (1842)

Olie på træ. 24,5 x 37,5 cm.
Ikke betegnet.
Købt 1901. Inv.nr. 1690.

I sin fødeby Assens er Dreyer en dag i sommeren 1842 standset op ved et nærmest tilfældigt motiv – en gangbro, der fører over åen neden for kirkegården – og malet det på stedet. Skildringen giver på flere måder mindelser om Købkes små skitser fra begyndelsen af 1830'rne. Motivet er set tæt på, og billedudsnittet er så snævert, at man ikke får et klart overblik over omgivelserne. Også malemåden er meget købke'sk. Det var ikke motivet som sådan, der fangede malerens interesse, men de rent billedmæssige virkemidler – dels den rumvirkning, der skabes af broen, som fører betragteren direkte ind i billedet, dels det bagende sollys, der falder på broen og på den blomstrende busk, og i kontrast hertil den skyggefulde å. Uanset hvilke bestræbelser guldaldermalerne lagde i deres store kompositioner, bevarede de sansen og evnen til at fortabe sig i et »ubetydeligt« motiv og male det alene for dets visuelle kvaliteter. Maleriet viser især slægtskab med Købkes *Udsigt fra et kornloft i Kastellet* (kat.nr. 44).

Da Dreyer i begyndelsen af marts 1843 udstillede studien i Kunstforeningen i København, skrev en anmelder: »I Studiet af en solbeskinnet Bro fandt vi et glædeligt Bevis paa at denne Konstner er istand til, hvad man tildels tidligere havde betvivlet, at afvinde Naturen dens umiddelbare Skjønhed.« Som sædvanlig var rosen til Dreyer ikke ublandet. Det var imidlertid malerier som dette, der var med til at åbne en senere tids øjne Dreyers kunst.

Peter Christian Skovgaard   1817-1875

Peter Christian Skovgaard søgte i sine landskabsmalerier at rendyrke en udtryksform, der var både neddæmpet og afbalanceret, og hans modne kunst er præget af en nærmest klassisk harmoni. Han er især kendt for sine skildringer af den danske bøgeskov.

Skovgaard voksede op i landsbyen Vejby i Nordsjælland. Han begyndte på Kunstakademiet i København som 14-årig i 1831, men i stedet for Eckersberg valgte han den mere romantisk anlagte historie- og landskabsmaler Johan Ludvig Lund som lærer. Sideløbende hermed studerede han flittigt de hollandske landskabsmalere i Den kongelige Malerisamling på Christiansborg Slot (nu Statens Museum for Kunst). Hans tidligste arbejder fra 1835-40 er temmelig forskelligartede og røber både kunstnerisk usikkerhed og tvivl om, hvilken retning han ville slå ind på. Allerede på denne tid mærkes påvirkning fra J. C. Dahl, og han har også interesseret sig for Købkes kunst – ved dennes dødsboauktion i 1848 købte han en lang række olieskitser, især skystudier. Hans første store komposition, *Udsigt mod Frederiksværk fra Tisvilde Hegn*, er præget af en dramatik, som ikke kendes fra hans senere billeder (Statens Museum for Kunst); inspirationen fra Jacob van Ruisdael er her tydelig. Efterhånden arbejdede han sig hen mod mere harmoniske og rolige billeder. Sit kunstneriske gennembrud fik Skovgaard på Charlottenborgudstillingen i årene 1843-45, da han fandt sin endelige udtryksform. Samtidig slog han ind på sin foretrukne motivkreds, den danske bøgeskov (jf. kat.nr. 58). Sammen med vennen Lundbye foretog Skovgaard i 1840'rne jævnligt udflugter på landet, hvor de gensidigt inspirerede hinanden. I 1842 udførte Skovgaard og Lundbye tre store, dekorative billeder til Skovgaards onkel, vekselerer H. C. Aggersborgs hjem (tilhører nu Statens Museum for Kunst og Ordrupgaardsamlingen). Til minde om det lykkelige arbejdsfællesskab malede Skovgaard i 1849 *Landevejen ved Herregården Vognserup*, hvor den afdøde ven ses tegnende i vejkanten (Statens Museum for Kunst). Først 1854-55 rejste han ud på sin første udenlandsrejse til Italien; han var da en moden, færdigudviklet kunstner. Men mødet med Claude Lorrains malerier satte sig dog spor i flere billeder, hvor den danske natur har fået et tidløst, arkadisk præg. Skovgaard skal selv have beklaget, at han ikke havde lært Claudes kunst at kende noget før. Endnu valgte han udelukkende sommermotiver, og det var først i 1857, at han malede foråret og efteråret i billederne *Bøgeskov i maj* og *Bøgeskov i oktober* (henholdsvis Statens Museum for Kunst og Skovgaard Museet, Viborg).

Skovgaard holdt ellers fast ved sin udtryksform livet igennem og fortsatte med at videreudvikle og variere sine foretrukne motiver. Sin mest vidtrækkende betydning fik Skovgaard ved at videregive sine kunstneriske traditioner til sønnerne Joakim (1856-1933) og Niels (1858-1938).

P. C. Skovgaard. Malet af J. Th. Lundbye. 1843. Frederiksborgmuseet.

57 Havremark ved Vejby. 1843

Olie på lærred. 25,5 x 28,5 cm.
Betegnet forneden t.v.: *1843*
Købt 1957. Inv.nr. 4950.

En dag under opholdet i Vejby i 1843 satte Skovgaard sig til rette ved kanten af en havremark, så kornet og kornblomsterne helt tog hans udsyn. Han fortabte sig fuldstændig i det frodige planteliv, og med en overlegen penselføring og et utal af grønne nuancer har han givet indtryk af det uoverskuelige virvar af blomster og kornstrå. Gården og træerne bag marken skal udelukkende skabe dybde og betone forgrundens nærhed. Det lille billede er ikke tænkt som et forarbejde til et større maleri, men er udført som et mål i sig selv. En beslægtet studie af Lundbye, også udført i Vejby i 1843, er forblevet ufuldført, og den viser malernes arbejdsform (Ny Carlsberg Glyptotek). Først malede de baggrunden, og så arbejdede de sig frem i billedet, og det gjorde de, også selv om forgrunden havde deres hovedinteresse. I rumlig henseende er der et spring fra forgrunden til baggrunden, og der er ingen af de eckersberg'ske klassiske diagonaler til at skabe dybde.

Johan Thomas Lundbye   1818-1848

Johan Thomas Lundbye var den mest fremtrædende af 1840'rnes unge natio-
nalromantiske landskabsmalere. I sin kunst holdt han fast ved den omhygge-
lige naturiagttagelse, men samtidig stræbte han mod at skildre det generelle
og typiske i den danske natur. Som ægte romantiker søgte han væk fra byen,
men han skildrede altid den natur, hvor mennesket havde sin daglige fær-
den. Den stærke naturfølelse i hans billeder står i skarp kontrast til Eckers-
berg-skolens nøgterne holdning. Men sammenlignet med både de tyske og
franske romantiske kunstnere virker hans kunst klassisk afklaret.

Lundbye begyndte på Kunstakademiet i København i 1832, men helt be-
vidst synes han at have undgået nærmere kontakt med Eckersberg. I stedet
fik han allerede samme år tegneundervisning hos akademiprofessoren Johan
Ludvig Lund, hvis romantiske holdning kom til at præge ham. Lundbye valg-
te dyremaleriet som speciale og studerede derfor de hollandske 1600-tals
malere. I praksis kom landskabsmaleriet dog til at indtage en mere central
rolle for ham. Hans tidligste arbejder fra midten af 1830'rne er præget af vir-
kelighedstro iagttagelser og ligger ikke fjernt fra Eckersberg-elevernes kunst,
specielt Købke (jf. kat.nr. 59). I løbet af 1837 skete der imidlertid et mærk-
bart omsving i Lundbyes kunst, og på udstillingen på Charlottenborg året
efter trådte han frem som en moden kunstner med maleriet *Landskab ved
Arresø med udsigt til flyvesandsbakkerne ved Tisvilde* (Thorvaldsens Museum; se
introduktionsartiklen, fig. 28). Hermed var han med til at markere gennem-
bruddet for det nationalromantiske landskabsmaleri og dermed et nybrud i
dansk kunst. Det blev herefter Lundbyes erklærede mål at lovsynge fædrelan-
dets pris med sin kunst. På denne tid modtog Lundbye væsentlig påvirkning
fra J. C. Dahl og sikkert også fra Caspar David Friedrich, ligesom samværet
med vennen P. C. Skovgaard havde stor betydning for ham. Nok så vigtig var
imidlertid indflydelsen fra kunsthistorikeren Høyen, der søgte at angive den
kunstneriske vej, han burde slå ind på. Under svære kunstneriske anfægtelser
udførte Lundbye 1842-43 hovedværket *En dansk kyst* (kat.nr. 62). Med dette
billede nåede hans landskabsmaleri en foreløbig kulmination, og i den føl-
gende tid satsede han på sit oprindelige speciale, dyremaleriet. I 1845-46
foretog Lundbye en rejse til Italien, meget mod Høyens vilje, men uden
større betydning for hans kunst. Efter hjemkomsten dyrkede han atter den
danske natur. Motiverne var dog ikke så storslåede som før, men fik en mere
intim karakter. Lundbye var langt mere litterært orienteret end de fleste
andre af guldalderens malere, og fra hans omhyggeligt førte dagbøger vides
det, at han led af stærke humørsvingninger – hans store kunstneriske ambiti-
oner synes at have tynget ham. Modsat flere af sine lidt ældre kunstnerkam-
merater nød Lundbye stor anerkendelse i samtiden, da billedernes danskhed
var i tråd med den nationale stemning. Han meldte sig som frivillig ved

J. Th. Lundbye. Selvportræt. 1841.
Ny Carlsberg Glyptotek.

krigsudbruddet i 1848, men blev dræbt, inden han kom i kamp, angiveligt ved et vådeskud. Eftertiden har dog gættet på, at der var tale om selvmord.

59 Hulvej ved Frederiksværk. 1837

Olie på papir på pap. 22,1 x 24,9 cm.
Betegnet forneden t.h.. *Frdsksv. April 37 Joh Lundbye*
Købt 1966. Inv.nr. 6471.

Ikke langt fra Frederiksværk har den 18-årige Lundbye i april 1837 sat sig til rette ved en hulvej og malet, hvad han så – den meget snævre udsigt mod Arresø. Hans fader var som oberst i hæren udstationeret i Frederiksværk, og den unge maler havde altså ligesom Købke fundet motivet i nærheden af sit hjem. Netop Købke synes at have haft betydning for Lundbye, da han malede billedet. Han havde kendt den lidt ældre kollega allerede fra sin barndom, da de begge boede i Kastellet ved København, og især malemåden, med de lette penselstrøg og de gennemsigtige farver, minder om hans. Også det nærmest tilfældige motiv og den snævre synsvinkel har Lundbyes billede til fælles med flere af Købkes studier. Man får ikke noget dækkende indtryk hverken af huset eller af søen. Maleriet har ikke de senere arbejders udtalte stemningsfuldhed, men er snarere sagligt registrerende. Dette kan opfattes som indirekte påvirkning fra Eckersberg.

Hvad man derimod ikke finder hos Købke – eller hos dennes kammerater blandt Eckersbergs elever – er liniespillet. Det har ikke kun til formål at skabe dybde i billedet, men de mange linier, der skærer hinanden, skaber spænding i den ellers rolige billedopbygning.

Maleriet er en let omarbejdet version af et billede, Lundbye havde malet måneden før og straks efter udstillet på Charlottenborg, men som han tilsyneladende selv tilintetgjorde i 1841.

60 Skovklædte bakker i Sørupvang. 1841

Olie på papir på lærred. 30,3 x 41 cm.
Betegnet forneden t.v.: *Sørups Vang 20 August 1841 JTL* [monogram]
Købt 1976. Inv.nr. 6928.

Ligesom flere af Eckersbergs elever udførte Lundbye udendørs studier, som han senere lagde til grund for store, gennemarbejdede billeder hjemme i atelieret. Men hvor Købke, Constantin Hansen og Roed efter alt at dømme planlagde deres store kompositioner allerede, inden den første skitse påbegyndtes, synes Lundbye under arbejdet at have stillet sig mere åben over for, hvilke muligheder der måtte byde sig. Umiddelbart efter at han havde afsluttet et stort billede af bakkerne i Sørupvang (Ordrupgaardsamlingen), tog han fat på denne studie, som nærmest er en bearbejdelse af det netop afprøvede motiv. Hovedelementerne – de spredte træer og bakkerne – er varieret, men uden at han her har stræbt efter at opnå det samme markante liniespil. I koloristisk henseende er billedet ganske karakteristisk for Lundbye; det er en meget begrænset farveskala, han har benyttet. Han havde ikke Købkes sans for raffinerede farvevirkninger. Studien kom ikke til at ligge til grund for et større maleri.

Maleriet er signeret og dateret den 20. august 1841, dvs. det er udført i tiden efter faderens død den 13. juni. Den sommer var præget af hektisk maleaktivitet for Lundbye, velsagtens fordi han vidste, at familiens dage i hjemmet lige uden for Frederiksværk nu var talte.

Lundbye skænkede billedet til Skovgaard.

60

61 Sjællandsk landskab. Åben egn i det nordlige Sjælland. 1842

Olie på lærred. 94,7 x 127,5 cm.
Betegnet forneden t.h.: *18 JTL* [monogram] *42*
Købt 1842. Inv.nr. 402.

I sommeren 1841 malede Lundbye to studier af det let bakkede, åbne landskab nær Frederiksværk, hvor en mindre skov ses midt i billedet mellem de græsklædte småbakker (den ene tilhører Den Hirschsprungske Samling). I den følgende vinter lagde han de to studier til grund for dette maleri, som imidlertid på afgørende måde adskiller sig fra forarbejderne. I sin stræben efter at indkredse den generelle karakter i den danske natur har han ladet det konkrete motivs særpræg fortone sig mere end tidligere – man aner kun lige akkurat kendetegnene fra oliestudierne. De enkelte elementer er blevet forskudt i forhold til hinanden, og linieføringen er trukket markant op. Der er en »Simpelhed og Storhed i Linierne«, som Høyen udtrykte det i 1838, da han anmeldte Lundbyes *Landskab ved Arresø med udsigt til flyvesandsbakkerne ved Tisvilde* (Thorvaldsens Museum; se introduktionsartiklen, fig. 28). Lundbye havde i et par år arbejdet hen imod på én gang at forenkle motivet og berige det med mange detaljer, og denne bestræbelse har her nået en foreløbig kulmination i hans kunst.

I kunstnerisk henseende har Lundbye fjernet sig fra sit udgangspunkt, Købke. I den panoramiske skildring af naturen og den stort anlagte linieføring kan man snarere se påvirkning fra den holstenske landskabsmaler Louis Gurlitt, der viste lignende bestræbelser i malerier som *Udsigt i nærheden af Esrum i Nordsjælland* fra 1834 (Hamburger Kunsthalle). En væsentlig tilføjelse i forhold til studierne er forgrundens mosgroede sten og forblæste småbuske, der sætter den fjerne baggrund i relief. Den store glæde, Lundbye har lagt i skildringen af denne del af billedet, står givetvis i gæld til J. C. Dahl. Den vigtigste ændring i kompositionen er dog indføjelsen af vejen. Et gennemgående træk i en række af Lundbyes malerier er netop denne vej, der slynger sig gennem landskabet, og hvis endelige bestemmelse ikke kan overskues. Når man tager Lundbyes urolige og søgende sind og mange eksistentielle overvejelser i betragtning, er det fristende at tolke vejen som symbol på det endnu uafklarede mål med hans liv.

61

Da Lundbye valgte motivet, søgte han uden tvivl et landskab, der virkede uberørt og oprindeligt. Men han har dog ikke her fundet et stykke natur, der ikke bærer præg af menneskets færden. På Sjælland var det åbne land næsten altsammen landbrugsland. Han har dog undgået de opdyrkede marker og har i stedet valgt det mere vildtvoksende overdrev, sådan som Margit Mogensen har påpeget.

Lundbye udstillede maleriet i 1842 og gav det titlen *Sjællandsk Landskab* for at betone motivets almene karakter – undertitlen er en senere tids tilføjelse som præcision af lokaliteten.

62 En dansk kyst. 1843

Olie på lærred. 188,5 x 255,5 cm.
Betegnet forneden t.h.: *18 JTL* [monogram] *42*
Købt 1843. Inv.nr. 412.

I foråret 1842 satte Lundbye sig for at skabe et storstilet billede, der skulle sammenfatte hans opfattelse af den danske natur. Han ville male et motiv, der var specielt for Danmark, og han besluttede at skildre et kystmotiv, hvad der var nærliggende, når man tænker på de lange kyststrækninger langs landets mange øer. I betragtning af, hvor tilbageholdende de danske malere ellers var, når det gjaldt malerier i stort format, var hans forehavende usædvanlig ambitiøst.

Lundbye valgte skrænterne ved Kitnæs ved Roskilde Fjord nær Jægerspris som motiv for det store billede, og han gik i gang med arbejdet den 6. marts 1842. Motivet havde imidlertid rumsteret i hovedet på ham i længere tid, for allerede trekvart år tidligere, den 1. september 1841, havde han udført den første pennetegning på stedet (privateje). Arbejdet skred hastigt frem, men det blev alligevel en lang og sej kamp at få fuldført maleriet. I Høyen havde han en vejleder, der både var fuld af opmuntring og nådesløs i sin kritik, og han måtte male flere partier af billedet om. Når han var mest mismodig, søgte han råd og trøst hos Købke. Da han var godt i gang med arbejdet, følte han behov for at få genopfrisket sit indtryk af stedet, og sammen med P. C. Skovgaard tog han til Jægerspris for at male en olieskitse, som han daterede den 20. juni 1842 (privateje). Lundbye satte sin signatur på selve maleriet hen på efteråret, men det var først i marts måned det følgende år, at han omsider lagde penslerne til side, lige tids nok til udstillingen på Charlottenborg.

Trods alle anfægtelserne under arbejdet endte Lundbye med at være tilfreds med det færdige resultat, og det blev Høyen også. En mere storslået skildring af den danske natur kan man dårligt tænke sig, og det var også malerens hensigt. Han ville vise, at det danske landskab kunne måle sig med – og overgå! – udlandets. Samtidig har han med kærlig omhu skildret selv de mindste detaljer.

Skønt Lundbye havde benyttet en konkret lokalitet som motiv, er det betegnende, at han gav billedet en almen titel. Det skulle være indbegrebet af danske kyster. Lundbye har villet demonstrere naturens overvældende dimensioner, og menneskene på stranden forekommer uendeligt små. Den malede skitse til billedet antyder imidlertid, at kystmotivet tog sig langt mindre overvældende ud i virkeligheden. Men selv om Lundbye har fået skrænterne til at virke mere imponerende, end de reelt var, er det stadig den venlige og fredelige natur, han har skildret.

62

Hvor paradoksalt det end kan lyde, kan Lundbye have fået afgørende inspiration fra billeder af udenlandske landskaber. Købke arbejdede på samme tid på et stort maleri af Capris sydkyst, hvis tilblivelse han har kunnet følge (privateje), og hos den tyskfødte maler Hermann Carmiencke har han kunnet se en studie af et sydtysk landskab med en flod med en meget nært beslægtet komposition (dansk privateje). Den mest oplagte inspirationskilde er dog en akvatinteradering efter Caspar David Friedrichs tegning af *Stubbenkammer på Rügen* (se kataloget til udstillingen *Caspar David Friedrich og Danmark*, Statens Museum for Kunst, 1991).

Lundbyes store møje blev belønnet. Maleriet blev købt af Den kongelige Malerisamling på udstillingen på Charlottenborg i april 1843.

Vilhelm Kyhn har skildret det samme kystparti i baggrunden af maleriet *Parti ved Isefjorden* (kat.nr.64).

63 Landskab ved Vejby. 1843

Olie på pap. 20,3 x 30,6.
Betegnet forneden t.h.: *18 JTL* [monogram] *43*
Købt 1973. Inv.nr. 6762.

Som afveksling fra det målrettede arbejde med de store kompositioner fore-
tog Lundbye jævnligt udflugter ud på landet om sommeren for at tegne og
male mere uforpligtende skitser, ofte i selskab med Skovgaard. Af disse stu-
dieture var den mest udbytterige – og også bedst dokumenterede – sommer-
udflugten 1843 til Skovgaards fødeby, den nordsjællandske landsby Vejby
ikke langt fra Kattegatskysten. Med Skovgaards barndomshjem som fast hol-
depunkt begav de to venner sig ud på daglige traveture og stoppede op, hvor
som helst de fandt et egnet motiv, enten i landsbyen: ved en bondegård, ved
gadekæret, i en stald, ved et gammelt skur, ved et stendige, ved en mødding;
eller ude i det omkringliggende landskab: på landevejen, mellem markerne,
ved en grøftekant, i et krat, på stranden ved havet (se kataloget til udstillin-
gen *Sommerrejsen til Vejby 1843*, Statens Museum for Kunst, 1989). I dette
tilfælde har Lundbye siddet ved landevejen og betragtet Vejby fra nord –
mens Skovgaard sad på den modsatte side af vejen og malede det samme
motiv, blot fra en lidt anden vinkel (Statens Museum for Kunst). Det nære
samarbejde og den gensidige inspiration havde stor betydning for de to
malere, og i deres olieskitser lå de tæt op ad hinanden i malemåde og motiv-
opfattelse på denne tid (jf. kat.nr. 56 & 57).

Lundbye malede sin studie på et stykke pap, han havde benyttet tidligere.
På den anden side havde han i 1838 malet en studie fra Dyrehaven nord for
København.

63

Vilhelm Kyhn   1819-1903

Vilhelm Kyhn står som den kunstner, der holdt guldalderens nationalroman-
tiske landskabstradition i hævd længe efter, at selve guldalderepoken var
slut. Han var jævnaldrende med Lundbye og Skovgaard, men modnedes se-
nere. Hans landskaber er båret af lyriske stemninger og er helt uden dramati-
ske virkemidler. Han malede gerne det intense og varme sollys ved middags-
tid, men yndede også aftenstemninger lige efter solnedgang.

Kyhn blev egentlig sat i kontorlære og kom først på akademiet i 1836.
Han blev elev af J. L. Lund, men modtog dog en kort overgang undervisning i
perspektiv hos Eckersberg. Han fortsatte på akademiet til 1844, efter at han
havde debuteret på Charlottenborg året før. I 1842 og 43 malede Kyhn på
Bornholm, og i 1845 var han for første gang i Jylland. I hans store, gennem-
arbejdede komposition *Jysk landskab. Bakket landskab med søer og skove nær
Silkeborg* fra 1845 (Statens Museum for Kunst) træder Kyhns kunstneriske
særpræg tydeligt frem: Han arbejdede med en langt mere kompliceret billed-
opbygning end Lundbye og undgik helt dennes forenklende og samlende
liniespil. Hans landskaber består af en rigdom af detaljer, der alle er tillagt
lige stor betydning i helheden.

I 1849 fik Kyhn akademiets rejsestipendium, og det følgende år tog han
over Holland og Belgien til Paris, hvor han opholdt sig i seks uger. Derefter
rejste han via Savoyen til Rom og besøgte både Napoli, Firenze og Venedig. I
1851 tog han hjem over München. På udenlandsrejsen fik det hollandske
1600-tals maleri og Claude Lorrains landskaber størst betydning for ham. Til
gengæld afviste han den samtidige udenlandske kunst, som det fremgår af et
brev til maleren Lorenz Frølich fra 1851 (Det kongelige Bibliotek): »Mit Ide-
al [...] er Naturen; men ikke den materielle, men Naturen med Aand. Derfor
forkaste jeg den franske Konst som enten er Virkelighed eller Affectation, for
det meste fremtrædende med Aplomb [: selvsikkerhed] talentfuld, pirrende,
indsmigrende, sandselig Teknik og Farve [...] og den tydske fordi den er spe-
kulativ skrivende [: litterær], Kunst paa anden, tredie Haand, eller opskruet
squadronerende eller sentimentalt Savleri med en just ikke overdreven
mesterlig Teknik og ækle Farver. Jeg indrømmer villigt, at der er mange store
Talenter; men som jeg sagde før: Talentet gjør det jo ikke«. Denne holdning
til udenlandsk kunst var typisk for nationalromantikkens malere. I 1873
begyndte Kyhn at tage fast sommerophold i Rye ved Himmelbjerget, og her
fandt han en meget stor del af de motiver, som han malede i de følgende år.

Vilhelm Kyhn forblev trofast mod sin ungdoms idealer hele livet igennem
og kom i 1870'erne og 80'erne til at stå i et åbenlyst modsætningsforhold til
tidens unge realistiske malere. En vis betydning for de yngre kunstnere fik
han dog gennem det såkaldte Huleakademi, som blev oprettet i 1871 i Kyhns
hjem på initiativ af hans elev Harald Foss; her mødtes unge malere som

Vilhelm Kyhn. Selvportræt. 1840.
Privateje.

Godfred Christensen, Hans Smidth, Theodor Philipsen og Kristian Zahrt-
mann. Senere blev bl.a. Anna Ancher elev på Kyhns tegneskole for kvinder.

64 Parti ved Isefjorden (Roskilde Fjord nær Frederikssund). 1849

Olie på lærred. 49,5 x 68 cm.
Betegnet forneden t.v.: *V.Kyhn 1849*
Købt 1980. Inv.nr. 7103.

I sommeren 1849 opholdt Kyhn sig på egnen ved Jægerspris, og dér fandt han motivet til dette billede. Han stillede sig ved bredden af Isefjord nær Frederikssund (ved den del af fjorden, som i dag kaldes Roskilde Fjord) og rettede blikket mod syd langs den flade kyststrækning mod nogle bakker i det fjerne. Han ville skildre en fredfyldt sommerdag, hvor alt er badet i sol. For at give indtryk af den stillestående varme har han malet motivet med solen lige i øjnene og har fremhævet vandets blanke overflade, ligesom han har ladet nogle børn bade i det lave fjordvand.

Kyhn var ikke den første maler, der skildrede kysten nær Jægerspris. Nogle år før havde Lundbye været på den samme egn, nærmere bestemt da han malede sit store maleri *En dansk kyst* (kat.nr. 62). Rent faktisk er den yderste del af bakkerne, man ser til højre i Kyhns billede, intet andet end – Lundbyes skrænter ved Kitnæs! Skønt det altså var den samme natur, som havde inspireret Lundbye, tager Kyhns fjordlandskab sig unægtelig helt anderledes ud end kammeratens. Ret beset var hans kyst mere typisk dansk end Lundbyes. Den flade strand med bakkerne, der blot tager sig ud som krusninger i landskabet, svarer mere til det indtryk, man gennemgående får af danske kyster. Kyhn har uden tvivl vidst, at det var Lundbyes danske kyst, han malede, og måske valgte han motivet for at sætte et minde over kammeraten, der var død året før i den slesvig-holstenske krig, sådan som Holger Reenberg har foreslået. Det skal dog bemærkes, at Kyhn i de foregående år havde malet flere andre malerier på egnen ved Jægerspris.

Kyhn var meget optaget af lyset – ikke i samspil med skyggerne, sådan som Eckersberg og en række af hans nærmeste elever var det, men af det kraftige sollys i sig selv. Derfor valgte han ofte at skildre sine motiver i skarpt sollys, med solen stående lige over billedets kant, sådan som han har gjort det her. Om et andet af sine billeder skrev han, velsagtens midt i 1850'erne, i et brev til Lorenz Frølich: »Jeg troer jeg har faaet en glansfuld Luft, Solen har jeg, som det for det meste hændes mig, lige i Øjnene over Rammen.«

Sollyset har gerne en varmere tone i Kyhns malerier, end det har fået her, og Torsten Gunnarsson har fremhævet, at det intense lys i billedet er uden sidestykke, ikke bare i datidens danske kunst, men også i den nordiske. Til gengæld har han påpeget en påfaldende parallel mellem lyset hos Kyhn og hos flere samtidige amerikanske landskabsmalere, specielt Fitz Hugh Lane. Også Theodor E. Stebbins har fremhævet slægtskabet mellem Kyhn og de

amerikanske malere (uden at henvise specielt til dette billede). Den danske maler har dog ikke haft mulighed for at se amerikanernes billeder, og omvendt.

Som forarbejde til dette maleri udførte Kyhn en oliestudie, som overraskende nok er lige så minutiøst udpenslet i alle detaljer som selve maleriet, blot mindre i format (Statens Museum for Kunst). Kun detaljer som bådens placering og de badende børn er forskellige i de to versioner.

Henvisninger

For de fulde titler på den anførte litteratur, se litteraturlisten.

1. N. A. Abildgaard:
Den sårede Filoktet. (1775)

Hennings, 1778, 143; P. L. Møller i *Gæa*, 1847, 180; Høyen, 1871-76, III, 202; Swane, 1937, 5 f; Bramsen, 1938, 146 f; Bramsen, 1942, 72; Josephson, 1956, I, 225; Skovgaard, 1961, 5-9, pl. 1; Rosenblum, 1967, 13, 15, fig. 7; Schiff, 1973, I, 80; Strandby Nielsen, 1975, 24; Lindwall, 1975, 168 f; Fischer, 1975; Jakobsen, 1978, 279-86, fig. 5; N. Pressly i New Haven, 1979, 65 f; kat.nr. 65; Gress, 1980; Clay, 1981, 260, fig. 472; C. Christensen i København, 1983-84, 39; Sass, 1986, 9-14; Kent, 1987, 13 f, fig.1; Kragelund, 1988-89, 183-85; Fischer, 1988, 19-41; Monrad, 1989, 13 f, fig. 1; Andersen, 1989, 86-97; K. Monrad i København, 1990, 10-12, 17 f, kat.nr. 1; Stein, 1990, 71-79; Bramsen, 1990, 62; Kragelund, 1991, 193, fig. 1; Nykjær, 1991 (b), 96, fig. 49; Oslo, 1992-93, kat.nr. 2; Kirkeby, 1993, 80; Los Angeles & New York, 1993-94, kat.nr. 1.

2. N. A. Abildgaard:
Slaven Davus søger forgæves at overbevise Pamphilus' fader om, at det er Pamphilus, der er fader til det barn, som pigen fra Andros netop har født. 1801

Hennings, 1802, 163 f; Swane, 1926, 127-131; Bramsen, 1942, 79 f; Skovgaard, 1961, 28-31, pl. 66; Voss, 1968, 16-18, fig. 1; T. H. Colding i Poulsen m.fl., 1972, 151 f, fig. 131; Riis, 1974, 12, 14, 18, 23 f; Strandby Nielsen, 1975, 47, fig. 12; Kragelund, 1982, 68; Nørregård-Nielsen, 1983, I, 137 f; Kragelund, 1987, 174, fig. 28; Monrad, 1989, 25 f, 46, fig. 14; Andersen, 1989, 233-36; K. Monrad i København, 1990, 49 f (afb.); Bramsen, 1990, 72 (afb.), 83 f; Kirkeby, 1993, 68-77 (afb.).

3. Jens Juel:
En sjællandsk bondegård med et optrækkende uvejr. (Ca. 1793)

Charlottenborg, 1794, kat.nr. 40 eller 41; København, 1828, kat.nr. 87; Bramsen, 1935, pp. 20 f, 25 f, 37, 67, 77, 96, fig. 11; London, 1948, kat.nr. 302; Stockholm, 1964, kat.nr. 164; Colding i Poulsen m.fl., 1972, 180, fig. 151; London, 1984, kat.nr. 4; Paris, 1984-84, kat.nr. 92; Sass, 1986, 311 note 89; Kold, 1989, 49, fig. 3 (ved en fejltagelse ombyttet med fig. 5); Monrad, 1989, 51, fig. 39; C. Bailey i London, 1990, 11, fig. 3; Poulsen, 1991, kat.nr. 624; C. Bailey & K. Monrad i København, 1991, 23, kat.nr. 59; Los Angeles & New York, 1993-94, kat.nr. 53.

4. Jens Juel:
En løbende dreng. 1802

København, 1828, kat.nr. 70; Dragehjelm, 1933, 17, 19-21; Novotny, 1960, 51, pl. 20A (udg. 1971, 90, fig. 52); Poulsen, 1961, 25, pl. 87; Poulsen, 1962, 74, fig.10; Stockholm, 1964, kat.nr. 157; London, 1984, 5; Paris, 1984-85, kat.nr. 97; Poulsen, 1991, 23, 264, kat.nr. 861; Los Angeles & New York, 1993-94, kat.nr. 55.

5. C. W. Eckersberg:
Studie af nøgen kvindelig model. (1811?)

Hannover, 1898, kat.nr. 128; Bramsen, 1963, 34; Stockholm, 1964, kat.nr. 48; Brenna, 1974, 84; B. Skovgaard i København, 1983 (a), 17, kat.nr. 17; Nørregård-Nielsen, 1983, 154; Paris, 1984-85, kat.nr. 31; Colding, 1988, 124 f, fig. 4; Bramsen, 1990, 108; S. Laveissière i Paris, 1991, 35; Los Angeles & New York, 1993-94, kat.nr. 17.

6. C. W. Eckersberg:
Odysseus' hjemkomst. (1812)

Weilbach, 1872, 30, 179 note 45, 213; Hannover, 1898, kat.nr. 112; Eckersberg, 1947, 26-28; B. Skovgaard i København, 1983 (a), 18, kat.nr. 11; M. Nykjær i Aarhus, 1983, 16 f; København, 1990, kat.nr. 14; Monrad, 1990, 84-86; Nykjær, 1991 (a), 202 f, fig. 1; Stubbe Østergaard, 1991; Los Angeles & New York, 1993-94, kat.nr. 18.

7. C. W. Eckersberg:
Udsigt fra Meudon Slot nær Paris. (1813)

Weilbach, 1872, 216; København, 1895, kat.nr. 77; Hannover, 1898, 72, 76, kat.nr. 129; Eckersberg, 1947, 46, 135, 104, 108; Stockholm, 1964, kat.nr. 49; Eckersberg, 1973, 116; Voss, 1976, 24; København, 1983 (a), 18, kat.nr. 18; Aarhus, 1983, kat.nr. 83; Paris, 1984-85, kat.nr. 30; Gunnarsson, 1989 62; Monrad, 1989, 52 f, fig. 41; Los Angeles & New York, 1993-94, kat.nr. 19.

8. C. W. Eckersberg:
Porta Angelica og en del af Vatikanet. (1813)

Eckersbergs dødsboauktion, 17. januar 1854, kat.nr. 19; Weilbach, 1872, 226; København, 1895, kat.nr. 80; Hannover, 1898, kat.nr. 140; Voss, 1968, 48-51, fig. 20; Eckersberg, 1973, 9, fig. 2; Nørregård-Nielsen, 1982, 18 f, fig. 4; København, 1983-84, 14, kat.nr. 18; Olsen, 1985, 112; Gunnarsson, 1989, 69 f, afb. 46; Monrad, 1989, 53 f, fig. 43; Monrad, 1990, 90-92, fig. 12 f; Los Angeles & New York, 1993-94, kat.nr. 20; Gunnarsson, 1994, 45, fig. 3.

9. C. W. Eckersberg:
Parti i Villa Borgheses have i Rom.
(Ca.1814)

Weilbach, 1872, 226; Hannover, 1898, 102, fig. 50, kat.nr. 150; Paris, 1928, kat.nr. 32; Stockholm, 1964, kat.nr. 52; Voss, 1968, 50-53, pl. I; Eckersberg, 1973, 57; Voss, 1976, 25; Nørregård-Nielsen, 1982, 23-25, fig. 6; København, 1983 (a), kat.nr. 27; E. Fischer i København, 1983 (b), kat.nr. 66; Århus, 1983, kat.nr. 41; København, 1983-84, kat.nr. 23; London, 1984, kat.nr. 9; Paris, 1984-85, kat.nr. 39; Olsen, 1985, 98; Gunnarsson, 1989, 87-98, pl. 6; Los Angeles & New York, 1993-94, kat.nr. 21.

10. C. W. Eckersberg:
Udsigt gennem tre buer i Colosseums tredie stokværk. (1815 eller 1816)

København, 1828, kat.nr. 157; Weilbach, 1872, 223; København, 1895, kat.nr. 97; Hannover, 1898, kat.nr. 164; Lange, 1900, 46, fig. 52; London, 1948, kat.nr. 544; Bramsen, 1963, 40; Stockholm, 1964, kat.nr. 56; Johansson, 1964, 36-44; Voss, 1968, 64 f, fig. 32; Poulsen m.fl., 1972, 293 f, fig. 236; Nørregård-Nielsen, 1982, 31, fig. 12; B. Skovgaard i København, 1983, kat.nr. 31; Aarhus, 1983, kat.nr. 46; København, 1983-84, kat.nr. 29; Rosenblum & Janson, 1984, 177, fig. 135; London, 1984, kat.nr. 11; Paris, 1984-85, kat.nr. 51; Olsen, 1985, 54; Norman, 1987, 86; Kent, 1987, 30 f, fig. 18; Monrad, 1989, 56-58, fig. 47; Gunnarsson, 1989, 92-94, farvepl. 7; Galassi, 1991, 139, pl. 166; Néto Daguerre & Coutagne, 1992, 248, fig. 284; A. Smith i Manchester & Cambridge, 1993, 12; Fischer, 1993, 32 f; Wivel, 1993, 14 f, fig. 4; Los Angeles & New York, 1993-94, kat.nr. 25; Gunnarsson, 1994, 46, fig. 6.

11. C. W. Eckersberg:
Julie Eckersberg, kunstnerens anden hustru. (1817).

Weilbach, 1872, 80, 228; København, 1895, kat.nr. 117; Hannover, 1898, 140 fig. 60, 188, kat.nr. 221; B. Skovgaard i København, 1983 (a), 26; kat.nr. 40;

Paris, 1984-85, kat.nr. 55; Los Angeles & New York, 1993-94, kat.nr. 26.

12. C. W. Eckersberg:
Emilie Henriette Massmann. (1820)

København, 1985, kat.nr. 142; Hannover, 1898, 197-202, fig. 89; Rubow, 1956, 105-08; Stockholm, 1964, kat.nr. 65; Voss, 1976, 36 f; B. Skovgaard i København, 1983 (a), 27, kat.nr. 46; Christensen, 1983, 9; London, 1984, kat.nr. 15; München, 1988-89 (b), kat.nr. 18; Los Angeles & New York, 1993-94, kat.nr. 28.

13. C. W. Eckersberg:
M. L. Nathansons ældste døtre, Bella og Hanna. (1820)

Weilbach, 1872, 130 f, 200, 239; København, 1895, kat.nr. 140; Hannover, 1898, 196 f, fig. 87; Madsen, 1925; Paris, 1928, kat.nr. 37; London, 1948, kat.nr. 436; Stockholm, 1964, kat.nr. 64; B. Skovgaard i København, 1983 (a), 27, kat.nr. 44; Christensen, 1983, 9; London, 1984, kat.nr. 13; Paris, 1984-85, kat.nr. 57; Norman, 1987, 88 f; Moskva, 1989, kat.nr. 10; Bramsen, 1990, 127 f; Fischer, 1993, 34; Los Angeles & New York, 1993-94, kat.nr. 29.

14. C. W. Eckersberg:
Studie af skyer over havet. (1826?)

Eckersbergs auktion, 1854, kat.nr. 136-42; Ikke hos Hannover, 1898 (jf. dog kat.nr. 383 og 384); Winkel, 1976, 103-110; København, 1983 (a), kat.nr. 86; København, 1983(b), kat.nr. 114-15; Paris, 1984-85, kat.nr. 58; Gunnarsson, 1989, 107 f, afb. 80; Oslo, 1992-93, kat.nr. 71; Los Angeles & New York, 1993-94, kat.nr. 32.

15. C. W. Eckersberg:
En amerikansk orlogsbrig, der ligger for anker, mens sejlene tørres. (1831-32)

Weilbach, 1872, 148; København, 1895, kat.nr. 251; Hannover, 1898, 243, kat.nr. 449: Stockholm, 1964, kat.nr. 70; Paris, 1965, kat.nr. 115; Voss, 1976, 45;

Th. E. Stebbins i Washington, 1980, 225; B. Skovgaard i København, 1983 (a), 31 f, kat.nr. 66; København, 1983 (b), kat.nr. 123; London, 1984, kat.nr. 19; Paris, 1984-85, kat.nr. 65; T. Gunnarsson i Stockholm & Göteborg, 1986-87, 32, kat.nr. 80; Monrad, 1989, 214, fig. 208, 250; Los Angeles & New York, 1993-94, kat.nr. 33; Gunnarsson, 1994, 45, fig. 4.

16. C. W. Eckersberg:
Langebro i måneskin. (1836)

Charlottenborg, 1837, kat.nr. 2; Weilbach, 1872, 256 f; København, 1895, kat.nr. 289; Hannover, 1898, 163, kat.nr. 514; Monrad, 1989, 164-66, fig. 148; Monrad, 1990, 94-98, fig. 16; Bonde Jensen, 1991; Fischer, 1993, 36; Los Angeles & New York, 1993-94, kat.nr. 36.

17. J. C. Dahl:
Broen over Tryggevælde Å. (Ca.1815)

Bramsen, 1935, 32, 37 f, 39, fig. 12; Stockholm, 1964, kat.nr. 22; Oslo & København, 1973, kat.nr. 20; Paris, 1984-85, kat.nr. 14; Nørregård-Nielsen, 1986, 28 f; Bang, 1987, I, 34, II, kat.nr. 139; Bramsen, 1990, 134 f; Bang, 1993, 55 f, fig. 5; Los Angeles & New York, 1993-94, kat.nr. 11.

18. J. C. Dahl:
Vesuvs udbrud. 1820

H. V. Lauridsen (udg.), *H. C. Andersens Dagbøger.* Bd.1: 1825-1834. København, 1971, 325; Paris, 1984-85, kat.nr. 15; København, 1987, kat.nr. 42; Bang, 1987, I, 57, 62 f, fig. 29, II, kat.nr. 257; Oslo & Bergen, 1988, kat.nr. 51; München, 1988-89 (a), kat.nr. 31; Monrad, 1989, 205, fig. 198; S. Helliesen i Manchester & Cambridge, 1993, 17; Trento, 1993, kat.nr. 66; Los Angeles & New York, 1993-94, kat.nr. 12.

19. C. A. Jensen:
Birgitte Søbøtker Hohlenberg. 1826

København, 1922, kat.nr. 27; Schultz, 1932, I, 202, II, kat.nr. 106; Stockholm,

1964, kat.nr. 124; V. Poulsen i Poulsen m.fl., 1972, 324, fig. 257; Voss, 1976, 52 f; London, 1984, kat.nr. 23; Paris, 1984-85, kat.nr. 80; Norman, 1987, 92 f; Moskva, 1989, kat.nr. 14; Monrad, 1989, 12 f, fig. 92; Los Angeles & New York, 1993-94, kat.nr. 49; Linnet, 1994, 23.

20. C. A. Jensen:
Teatermaleren Troels Lund. 1836

Charlottenborg, 1836, kat.nr. 18-24?; Wiborg, 1838, 52; Lange, 1900, 66, fig. 80; London, 1907, kat.nr. 192; Schultz, 1932, I, 312, II, kat.nr. 292; Kiel, 1968, kat.nr. 28; Voss, 1976, 56, 58; London, 1984, kat.nr. 24; Monrad, 1989, 160-62, fig. 143; Los Angeles & New York, 1993-94, kat.nr. 50.

21. C. A. Jensen:
Drengeportræt. En af kunstnerens sønner. 1836

Charlottenborg, 1836, kat.nr. 26?, Royal Academy of Arts, London, 1837, kat.nr. 531(?); Paris, 1928, kat.nr. 89; Schultz, 1932, I, 312, 316, II, kat.nr. 291; Stockholm, 1964, kat.nr. 129; Paris, 1984-85, kat.nr. 85; Los Angeles & New York, 1993-94, kat.nr. 51.

22. Ditlev Blunck:
Kobberstikker C. E. Sonne. (Ca.1826)

Martius, 1938, 276; København, 1983, kat.nr. 99; München, 1988-89 (b), kat.nr. 11; Stockholm, 1991, kat.nr. 24; Los Angeles & New York, 1993-94, kat.nr. 9; Munk, 1994, 106, fig. 14.

23. Martinus Rørbye:
Udsigt fra kunstnerens vindue. (Ca.1825)

København, 1905, kat.nr. 4; København, 1930, kat.nr. 4; B. Jørnæs i København, 1975, kat.nr. 35; Gad, 1976, 74 f; D. Helsted i København, 1981 (c), kat.nr. 3; Moskva, 1989, kat.nr. 17; Monrad, 1989, 130 f, fig. 112; Fonsmark, 1990, 67-70, 73, 76, fig. 1; K. Monrad i København, 1991, 180; Los Angeles & New York, 1993-94, kat.nr. 93.

24. Martinus Rørbye:
Arrestbygningen ved råd- og domhuset i København. 1831

Charlottenborg, 1832, kat.nr. 69; *Kopenhagener Kunstblatt,* 12. april 1832, 31 f; Stockholm, 1964, kat.nr. 225; Voss, 1968, 181 f, fig. 105; Kiel, 1968, kat.nr. 61; Voss, 1976, 206 f; D. Helsted i København, 1981 (c), kat.nr. 24; H. Jönsson i København, 1983 (a), kat.nr. 233; London, 1984, kat.nr. 45; Paris, 1984-85, kat.nr. 176; Norman, 1987, 102 f; Kent, 41, fig. 27; München, 1988-89 (b), kat.nr. 69; Moskva, 1989, kat.nr. 18; Monrad, 1989, 61, fig. 51, 125-27, fig. 106; Bramsen, 1990, 159; Mortensen, 1990, I, 133; Los Angeles & New York, 1993-94, kat.nr. 95.

25. Martinus Rørbye:
Grækere arbejder i ruinerne ved Akropolis. (1835)

G. Bindesbøll i *Dansk Kunstblad,* I, 1836, sp. 20; annonym i ibid., II, 1837, sp. 187; ibid., III, 1838, sp. 6; M. Rørbye i Rørbye m.fl., 1876-77, 56; København, 1905, kat.nr. 87; København, 1930, kat.nr. 38; Hartmann, 1950, 9, 31 note 41, 71, kat.nr. 40; Stockholm, 1964, kat.nr. 226; Voss, 1968, 188-90, fig. 111; Kiel, 1968, kat.nr. 62; H. Bramsen i Poulsen m.fl., 1972, 416, fig. 344; T. Melander i København, 1981 (c), 138, 151, kat.nr. 102; H. Jönsson i København, 1983, kat.nr. 234; London, 1984, kat.nr. 46; Paris, 1984-85, kat.nr. 178; Papanicolaou-Christensen, 1985, 166, pl. 193; Monrad, 1989, 201 f, fig. 195; Melander, 1990, 120; Ferrier, 1991, 330; Los Angeles & New York, 1993-94, kat.nr. 96.

26. Wilhelm Bendz:
En ung kunstner (Ditlev Blunck), der betragter en skitse i et spejl. 1826

Charlottenborg, 1826, kat.nr. 62; H. Hansen i *Kjøbenhavns Morgenblad,* 25. april 1826; Bramsen, 1942, 178 f; Røder, 1905, 18; Hertig, 1954, 186 f; Martius, 1956, 182; H. Bramsen i Poulsen m.fl., 1972, 409 f, fig. 339; B. Jørnæs i Køben-

havn, 1975, kat.nr. 39; Nykjær, 1977-80, 37-42; H. Jönsson i København, 1983 (a), kat.nr. 88; London, 1984, kat.nr. 40; Paris, 1984-85, kat.nr. 7; Stockholm, 1991, kat.nr. 25; Monrad, 1989, 143-46, fig. 125, 290; Nykjær, 1991 (b), 75-84, fig. 41; Los Angeles & New York, 1993-94, kat.nr. 3; Munk, 1994, 106; Kjørup, 1994, 119-22, fig. 1.

27. Wilhelm Bendz:
Modelskolen på Kunstakademiet. 1826

Charlottenborg, 1826, kat.nr. 61; Høyen, 1871-76, I, 159; Røder, 1905, 21-23, 54; Bramsen, 1942, 179 f; Hertig, 1954, 191-93; Stockholm, 1964, kat.nr. 16; H. Bramsen i Poulsen m.fl., 1972, 410, fig. 337; London, 1972, kat.nr. 23; Lyngby, 1979, kat.nr. 200; Nykjær, 1977-80, 42 f, fig. 2; København, 1983 (a), kat.nr. 89; Paris, 1984-85, kat.nr. 8; Guldbrandsen, 1988, 31; Monrad, 1989, 79, fig. 63, 139 f, fig. 122, 290; Bramsen, 1990, 154, 156; Nykjær, 1991 (b), 84-86, fig. 43; Los Angeles & New York, 1993-94, kat.nr. 4; Munk, 1994, 103, fig. 4.

28. Wilhelm Bendz:
Mandlig model. (1824 el. 1827-31)

Charlottenborg, 1825, kat.nr. 54?; Bruun Rasmussens Kunstauktioner, nr. 488, 14. oktober 1986, kat.nr. 377; Los Angeles & New York, 1993-94, kat.nr. 5.

29. Wilhelm Bendz:
Familien Raffenberg. 1830

Charlottenborg, 1831, kat.nr. 63(?); Been & Hannover, 1902-03, 83; Kunst-foreningens inventarprotokol (1903), nr. 3; Røder, 1905, 35 f (afb.); Hertig, 1954, 185; H. Bramsen i Poulsen m.fl., 1972, 407 f, fig. 338; B. Jørnæs i København, 1975, kat.nr. 38; H. Bramsen i Poulsen m.fl., 1979, 407 f, fig. 338; H. Jönsson i København, 1983 (a), kat.nr. 93; Paris, 1984-85, kat.nr. 10; G. Himmel-heber i München, 1988-89 (b), kat.nr. 9; Monrad, 1989, 120 f, fig. 102; Nykjær, 1991, 163 f, ill. 90; Linnet, 1994, 23.

30. Wilhelm Bendz:

En vognport. Partenkirchen. 1831

Voss, 1976, 16 f; H. Jönsson i København, 1983 (a), 50 f, kat. nr. 95; M. Wivel i Århus, 1983, 84; B. Eschenburg i München, 1984, 312; London, 1984, kat. nr. 42; Paris, 1984-85, kat. nr. 12; Los Angeles & New York, 1993-94, kat. nr. 8.

31. Constantin Hansen:

Kunstnerens søstre Signe og Henriette. 1826

Charlottenborg, 1827, kat. nr. 84; Hansen, 1827, 211; København, 1897, kat. nr. 10; København, 1901, kat. nr. 560; Hannover, 1901, 21-24, kat. nr. 15; Stockholm, 1922, kat. nr. 49; Paris, 1928, kat. nr. 76; Wanscher, 1936, 31; London, 1948, kat. nr. 553; Stockholm, 1964, kat. nr. 78; København, 1983 (a), kat. nr. 134; Paris, 1984-85, kat. nr. 74; München, 1988-89, kat. nr. 40; Monrad, 1989, 113, fig. 97; Bramsen, 1990, 149, 153; København & Århus, 1991, kat. nr. 12.

32. Constantin Hansen:

Portræt af Hanne Wanscher. 1835

København, 1897, kat. nr. 33; København, 1901, kat. nr. 574; Hannover, 1901, 45, kat. nr. 90; Paris, 1928, kat. nr. 78; London, 1948, kat. nr. 438; Stockhkolm, 1964, kat. nr. 83; København, 1983 (a), kat. nr. 138; London, 1984, kat. nr. 28; Monrad, 1989, 114, fig. 94; Bramsen, 1990, 151; S. Miss i København & Århus, 1991, kat. nr. 33.

33. Constantin Hansen:

Kronborg. (1834)

Kunstforeningen, 1864, 19; Ikke hos Hannover 1901 (jf. kat. nr. 84 & 87); Paris, 1928, kat. nr. 77; Voss, 1968, 113 f, fig. 57; København, 1983 (a), kat. nr. 137; London, 1984, kat. nr. 26; *International auktion*, Arne Bruun Rasmussens Kunst-auktioner. Auktion nr. 483, 16. april 1986, kat. nr. 3; Monrad, 1989, 180 f, fig. 167; København & Århus, 1991, kat. nr. 31; Los Angeles & New York, 1993-94, kat. nr. 43.

34. Constantin Hansen:

Danske kunstnere i Rom. 1837

Charlottenborg, 1838, kat. nr. 109; Wiborg, 1838, 113; *Dansk Kunstblad*, II, 1838, 205; Høyen, 1871-76, I, 98 f; København 1897, kat. nr. 45; Hannover, 1901, 70-74, fig. 33, kat. nr. 122; B. Lindwall i Lindwall m.fl., 1963, 16; Stockholm, 1964, kart. nr. 86; Plewing, 1975; Voss, 1976, 77; Bolvig, 1978, 119-25; Kaspersen, 1981; København, 1983 (a), kat. nr. 139; London, 1984, kat. nr. 29; Paris, 1984-85, kat. nr. 76; Monrad, 1985, 25, 27, 34; Ragn Jensen, 1985, 73 f, fig. 1; Olsen, 1985, 192; Kent, 1987, 36, fig. 21; Norman, 170 f; Monrad, 1989, 199-201, fig. 193, 287, 290; Mortensen, 1990, I, 104, pl. 25; S. Kaspersen i København & Århus, 1991, 54-67, kat. nr. 53; Ferrier, 1991, 323; Los Angeles & New York, 1993-94, kat. nr. 44; Munk, 1994, 109, fig. 27.

35. Constantin Hansen:

Athene-templet i Pæstum. (1838)

Hannover, 1901, 81 f, fig. 38, kat. nr. 138; Paris, 1928, kat. nr. 80; Stockholm, 1964, kat. nr. 87; Voss, 1968, 134, fig. 71; V. Poulsen i Poulsen m.fl., 1972, 374, fig. 310; Rohde, 1977, 103-110, specielt 106; Ragn Jensen, 1985, 85, fig. 7; Paris, 1989-90, kat. nr. 28; B. Jørnæs i København & Århus, 1991, kat. nr. 56; Los Angeles & New York, 1993-94, kat. nr. 45.

36. Constantin Hansen:

*En lille pige, Elise Købke,
med en kop foran sig.* (1850)

København, 1897, kat. nr. 136; Hannover, 1901, 202, fig. 102, kat. nr. 263; Stockholm, 1964, kat. nr. 92; Voss, 1976, 85; København, 1983 (a), kat. nr. 145; London, 1984, kat. nr. 34; Paris, 1984-85, kat. nr. 79; Monrad, 1989, 277-79, fig. 270; København & Århus, 1991, kat. nr. 95 & 96; Los Angeles & New York, 1993-94, kat. nr. 47; Linnet, 1994, 27 f, fig. 7.

37. Jørgen Roed:

En kunstner på vandring. 1832

Charlottenborg, 1833, kat. nr. 113; H. Jönsson i København, 1983 (a), kat. nr. 225; Monrad, 1989, 145, fig. 127; Stockholm, 1991, kat. nr. 76; K. M. Lundsgaard-Leth i Munk, 1991, 7, fig. 1; D. Helsted i Lyngby, 1992, kat. nr. 17 (oliestudie tilh. Ny Carlsberg Glyptotek); Los Angeles & New York, 1993-94, kat. nr. 90; Munk, 1994, 110, fig. 32.

38. Jørgen Roed:

Ribe Domkirkes indre. (1836)

J. Roed & N. L. Høyen i *Dansk Kunstblad*, II, 30. september 1836, sp. 101-107; anonym i ibid., II, 9, maj 1837, sp. 34; London, 1948, kat. nr. 438; H. Bramsen, i Lindwall m.fl., 1963, 48; Stockholm, 1964, kat. nr. 219; Voss, 1968, 154-56, fig. 83; Kiel, 1968, kat. nr. 60; V. Poulsen i Poulsen m.fl., 1972, 355, fig. 297; Villadsen, 1974, 17, 21 f, fig. 3; Voss, 1976, 156; H. Jönsson i København, 1983, kat. nr. 227; London, 1984, kat. nr. 37; Paris, 1984-85, kat. nr. 171; Monrad, 1989, 187; Los Angeles & New York, 1993-94, kat. nr. 92.

39. Frederik Sødring:

Charlottenborgs baggård. 1828

Vestergaard, 1977-80, kat. nr. 10; Malerier – Antikviteter, Arne Bruun Rasmussens Auktioner, Auktion nr. 505, 9. marts 1988, kat. nr. 123; Los Angeles & New York, 1993-94, kat. nr. 104.

40. Frederik Sødring:

Et parti af Marmorpladsen med ruinerne af den ufuldførte Frederikskirke. 1835

Charlottenborg, 1835, kat. nr. 135; Kiel, 1968, kat. nr. 71; B. Jørnæs i København, 1975, kat. nr. 60; Vestergaard, 1977-80, 51, fig. 8, kat. nr. 84; Lyngby, 1982, kat. nr. 20; Paris 1984-85, kat. nr. 188; Kent, 1987, 32; Moskva, 1989, kat. nr. 27; Monrad, 1989, 133-33, fig. 114; Los Angeles & New York, 1993-94, kat. nr. 105.

41. Wilhelm Marstrand:
Arkitekten Gottlieb Bindesbøll. (1834)

København, 1898, kat. nr. 145; Madsen, 1905, 27 f note 28; Stockholm, 1964, kat. nr. 207; V. Poulsen i Poulsen m. fl., 1972, 390 f, fig. 325; Monrad, 1989, 159, fig. 140; Valentiner, 1992, 26 f; Nivå, 1992, kat. nr. 14; Los Angeles & New York, 1993-94, kat. nr. 88; Munk, 1994, 110, fig. 42.

42. Wilhelm Marstrand:
Familien Waagepetersen. (1836)

Charlottenborg, 1837, kat. nr. 157; *Dansk Kunstblad*, 2.årg, nr. 3, 26. april 1837, sp. 22; København, 1898, kat. nr. 42; Madsen, 1905, 30 f; Paris, 1928, kat. nr. 153; Stockholm, 1964, kat. nr. 208; Praz, 1971, 159; Bonde Jensen, 1975, 18-28; Bolvig, 1978, 103-05, 112. København, 1983 (a), kat. nr. 197; London, 1984, kat. nr. 43; Nivå, 1985, kat. nr. 22; Norman, 1987, 100 f; Kent, 1987, 36, fig. 22; Monrad, 1989, 66 f, 120-22, fig. 101, 149, 291; Mortensen, 1990, I, 102; Valentiner, 1992, 23; Nivå, 1992, kat. nr. 17; Los Angeles & New York, 1993-94, kat. nr. 89; Linnet, 1994, 23; Mogensen, 1994, 89.

43. Christen Købke:
Parti i Århus Domkirke. 1830

Charlottenborg, 1831, kat. nr. 77; København, 1884, kat. nr. 12; Hannover, 1893, 25, kat. nr. 24; København, 1912, kat. nr. 26; Madsen, 1914, 7 f; Krohn, 1915, kat. nr. 26; Stockholm, 1964, kat. nr. 158; Voss, 1968, 76-82, pl. II; V. Poulsen i Poulsen m. fl., 1972, 332-38, fig. 266; Voss, 1976, 92 f; H. E. Nørregård-Nielsen i København, 1981 (a), 47-50; København, 1983 (a), kat. nr. 167; London, 1984, kat. nr. 48, Paris, 1984-85, kat. nr. 101; Monrad, 1989, 178 f, fig. 166; Bramsen, 1990, 170; B. Jørnæs i København & Århus, 1991, 20; Nykjær, 1991, 92, fig. 47; Wivel, 1993, 33 f, fig. 22; Los Angeles & New York, 1993-94, kat. nr. 56; Jensen, 1994, 153 f.

44. Christen Købke:
Udsigt fra et kornloft i Kastellet. 1831

Charlottenborg, 1832, kat. nr. 78; København, 1884, kat. nr. 14; Hannover, 1893, 33, kat. nr. 34; Krohn, 1915, kat. nr. 34; Schultz, 1928, 10; Paris, 1928, kat. nr. 121; Stockholm, 1964, kat. nr. 160; V. Poulsen i Poulsen m. fl., 1972, 338, fig. 267; Voss, 1976, 96 f; Gad, 1976, 9 f; H. E. Nørregård-Nielsen i København, 1981 (a), 63-66, kat. nr. 7; London, 1984, kat. nr. 50, Paris, 1984-85, kat. nr. 103; Nykjær, 1986, 28-30; Bramsen, 1990, 170-72, 175; Nykjær, 1991 (b), 97-99, fig. 50; Nørregård-Nielsen, 1991, 69 f; Schwartz, 1992, 25 f, pl. 6; Wivel, 1993, 46, fig. 37; Los Angeles & New York, 1993-94, kat. nr. 59.

45. Christen Købke:
Johanne Pløyen. 1834

København, 1884, kat. nr. 48; Hannover, 1893, 58, kat. nr. 69; København, 1901, kat. nr. 1036; Madsen, 1914, 20; Krohn, 1915, kat. nr. 80; Paris, 1928, kat. nr. 126; London, 1948, kat. nr. 547; Stockholm, 1964, kat. nr. 168; Kiel, 1968, kat. nr. 40; V. Poulsen i Poulsen m. fl., 1972, 341; København, 1983 (a), kat. nr. 177; London, 1984, kat. nr. 56; Monrad, 1989, 71, 115, fig. 95; Schwartz, 1992, 18, pl. 37; Linnet, 1994, 23, fig. 3.

46. Christen Købke:
Cecilie Margrethe Petersen. 1835

Hannover, 1893, kat. nr. 82; Madsen, 1914, 22 f; København, 1912, kat. nr. 93; Krohn, 1915, kat. nr. 95; Schultz, 1932, I, 301, Bramsen, 1942, 191; Stockholm, 1964, kat. nr. 174; V. Poulsen i Poulsen m. fl., 1972, 341; København, 1981 (b), kat. nr. 77; København, 1983, kat. nr. 179; London, 1984, kat. nr. 58; Monrad, 1989, 158, fig. 139; Mortensen, 1990, I, 135; Bramsen, 1990, 172 f; Nørregård-Nielsen, 1991, 109; Rohde, 1993, 36, 38, 49; Los Angeles & New York, 1993-94, kat. nr. 65.

47. Christen Købke:
Frederiksborg Slot. Parti ved Møntbroen. 1836

Dansk Kunstblad, I, nr. 2, 23. marts 1836; Charlottenborg, 1836, uden for katalog; *Kjøbehavnsposten*, 6. maj 1836; København, 1884, kat. nr. 58; Hannover, 1893, 73, kat. nr. 85; København, 1912, kat. nr. 98; Krohn, 1915, kat. nr. 100; Paris, 1928, kat. nr. 127; Bramsen, 1935, 52 f, fig. 30; Stockholm, 1964, kat. nr. 177; Paris, 1965, kat. nr. 124; V. Poulsen i Poulsen, m. fl., 1972, 343; Voss, 1976, 109; København, 1983, kat. nr. 180; London, 1984, kat. nr. 80; Paris, 1984-85, kat. nr. 122; Kent, 1987, 34, fig. 20; Monrad, 1988; Monrad, 1989, 183-85, fig. 172; Gunnarsson, 1989, 128-31, fig. 93; Bramsen, 1990, 175; Schwartz, 1992, 36; Los Angeles & New York, 1993-94, kat. nr. 67; Gunnarsson, 1994, 54, fig. 15.

48. Christen Købke:
Den nordre Kastelsbro i København. (Ca.1837)

Wiborg, 1838, 70 f; Hannover, 1893, kat. nr. 94; Krohn, 1915, kat. nr. 113; Stockholm, 1964, kat. nr. 183; H. E. Nørregård-Nielsen i København, 1981 (a), 88, kat. nr. 26; London, 1984, kat. nr. 62, fig. 30; *The National Gallery Report. Januar 1985-december 1987.* London, 1988, 27; Los Angeles & New York, 1993-94, kat. nr. 68.

49. Christen Købke:
Udsigt fra Dosseringen ved Sortedamssøen. Studie. (Ca.1838)

Hannover, 1893, kat. nr. 73; København, 1912, kat. nr. 131; Krohn, 1915, kat. nr. 133; København, 1953, kat. nr. 72; K. Monrad i København, 1981 (b), 12, fig. 12, kat. nr. 32; Paris, 1984-85, kat. nr. 135; Monrad, 1989, 172 f, fig. 159; Gunnarsson, 1989, 132, fig. 95; Wivel, 1993, 36, fig. 27; Los Angeles & New York, 1993-94, kat. nr. 70.

50. Christen Købke:
Udsigt fra Dosseringen ved Sortedamssøen mod Nørrebro. (1838)

Charlottenborg, 1839, kat. nr. 118; *Portefeuillen for 1839*, 5. maj 1839; Hannover, 1893, 78, kat. nr. 106; Madsen, 1914, 33-36; Krohn, 1915, kat. nr. 134; E. Hannover i Laurin m.fl., 1922, 260; Paris, 1928, kat. nr. 137; Petersen, 1933-34, 122 f; Novotny, 1960, 117, pl. 84 (2. udg. 1971, 209, fig. 143); London, 1972, kat. nr. 169; B. Novak i Clark m.fl., 1972, 34, 40, fig. 9; K. Monrad i København, 1981 (b), 16, fig. 13, kat. nr. 37; København, 1983 (a), kat. nr. 182; London, 1984, kat. nr. 63; Paris, 1984-85, kat. nr. 133; R. Rosenblum i Rosenblum & Janson, 1984, 183, pl. 31; Norman, 1987, 96 f; Monrad, 1989, 96, 136, 169-74, 240, fig. 158; Gunnarsson, 1989, 131-33, fig. 96; Mortensen, 1990, I, 15, pl. 2; Bramsen, 1990, 178; Schwartz, 1992, 52, pl. 67; Los Angeles & New York, 1993-94, kat. nr. 71; Linnet, 1994, 27.

51. Christen Købke:
Bugten ved Napoli med Vesuv i baggrunden. (1839-40)

København, 1884, kat. nr. 86; Hannover, 1893, 108, kat. nr. 113; København, 1912, kat. nr. 139; Krohn, 1915, kat. nr. 141; København, 1953, kat. nr. 76; København, 1975, kat. nr. 71; Rom & København, 1977-78, kat. nr. 39; Paris, 1984-85, kat. nr. 142; Sotheby's, London, 20. marts 1985, kat. nr. 22; Bjerre, 1990, 106, fig. 7; Los Angeles & New York, 1993-94, kat. nr. 74.

52. Christen Købke:
Havetrappen ved kunstnerens malestue. (Ca. 1845)

København, 1884, kat. nr. 105; Hannover, 1893, kat. nr. 133; København, 1912, kat. nr. 157; Krohn, 1915, kat. nr. 159; London, 1948, kat. nr. 551; København, 1981 (b), kat. nr. 54; London, 1984, kat. nr. 66; Paris, 1984-85, kat. nr. 146; Monrad, 1989, 138, fig. 119; Gunnarsson, 1989, 139 f, pl. 14; Berlin, 1990, kat. nr.

457; Schwartz, 1992, 58, pl. 75; Wivel, 1993, 41, fig. 33; Los Angeles & New York, 1993-94, kat. nr. 77; Gunnarsson, 1994, 53.

53. Dankvart Dreyer:
Udsigt over et skovrigt jysk landskab. (Ca.1840?)

Swane, 1921, 50, 53 f, kat. nr. 89; Bramsen, 1935, 91 f; Stockholm, 1964, kat. nr. 30; Voss, 1976, 169; København & Odense, 1989, kat. nr. 64; Monrad, 1989, 258, 260, fig. 255; Bramsen, 1990, 206, 211; Los Angeles & New York, 1993-94, kat. nr. 14; Linnet, 1994, 32.

54. Dankvart Dreyer:
Bro over kirkegårdsåen i Assens. (1842)

Journal for Litteratur og Kunst, 2. marts 1843; København, 1901, kat. nr. 360a; Swane, 1921, 89 f, kat. nr. 119; Paris, 1928, kat. nr. 25; Stockholm, 1964, kat. nr. 33; Voss, 1976, 168; København, 1983 (a), kat. nr. 112; London, 1984, kat. nr. 76; Paris, 1984-85, kat. nr. 17; København & Odense, 1989, kat. nr. 87; Monrad, 1989, 261 f, fig. 257; Los Angeles & New York, 1993-94, kat. nr. 15.

55. Dankvart Dreyer:
Strandparti med klitter. Jyllands vestkyst. (1843)

Swane, 1921, 91-93, kat. nr. 139; Stockholm, 1964, kat. nr. 35; København, 1983 (a), kat. nr. 114; London, 1984, kat. nr. 77; Paris, 1984-85, kat. nr. 18; København & Odense, 1989, kat. nr. 104; Monrad, 1989, 258-60, fig. 253; Gunnarsson, 1989, 51 f, pl. 2; Los Angeles & New York, 1993-94, kat. nr. 16; Gunnarsson, 1994, 50, fig. 8.

56. P. C. Skovgaard:
Strandbillede. Rågeleje i Nordsjælland. 1843

København, 1917, kat. nr. 72; København, 1989, kat. nr. 5; Los Angeles & New York, 1993-94, kat. nr. 100.

57. P. C. Skovgaard:
Havremark ved Vejby. 1843

København, 1901, kat. nr. 1717; København, 1917, kat. nr. 65; Skovgaard, 1920, 4 f; Stockholm, 1964, kat. nr. 203; London, 1984, kat. nr. 73; Paris, 1984-85, kat. nr. 183; B. Skovgaard i København, 1989, 24, kat. nr. 87; Monrad, 1989, 254 f, fig. 249; Gunnarssson, 1989, 51, pl. 1; Los Angeles & New York, 1993-94, kat. nr. 101.

58. P. C. Skovgaard:
Delhoved Skov ved Skarre Sø. 1847

Charlottenborg, 1847, kat. nr. 182; *Flyveposten*, 10. maj 1847; Røder, 1902, 24; Bramsen, 1938 (b), pl. 28; Viborg, 1967, kat. nr. 48; Paris, 1984-85, kat. nr. 184; Monrad, 1989, 263, fig. 259; Los Angeles & New York, 1993-94, kat. nr. 102.

59. J. Th. Lundbye:
Hulvej ved Frederiksværk. 1837

Ikke hos Madsen, 1895; København, 1931, kat. nr. 14; Madsen, 1949, 79, kat. nr. 30A; London, 1984, kat. nr. 67; Monrad, 1989, 244 f, fig. 237; Los Angeles & New York, 1993-94, kat. nr. 79.

60. J. Th. Lundbye:
Skovklædte bakker i Sørupvang. 1841

Madsen, 1895, kat. nr. 104; København, 1931, kat. nr. 48; *Kirstine og Hjalmar Bruhns Samling*, I, Malerier. København, 1934-54, [u.p.]; Madsen, 1949, 118, kat. nr. 104; Los Angeles & New York, 1993-94, kat. nr. 84.

61. J. Th. Lundbye:
Sjællandsk landskab. Åben egn i det nordlige Sjælland. 1842

Charlottenborg, 1842, kat. nr. 118; Høyen, 1871-76, I, 123 f; Madsen, 1895, kat. nr. 112; Hendriksen, 1920-21, 75, 85; Paris, 1928, kat. nr. 147; Bramsen, 1935, 79 f; Bramsen, 1942, 253; Madsen, 1949, 121, 316, kat. nr. 112; Stockholm, 1964, kat. nr. 197; Lundbye, 1967, 8 f, 14, 77; Kiel, 1968, kat. nr. 45; Voss, 1976, 180; London, 1984, kat. nr. 69; Mogensen,

1984, 42; Paris, 1984-85, kat.nr. 162;
Monrad, 1989, 71, 247 f, fig. 239; Los
Angeles & New York, 1993-94, kat.nr. 85;
Jensen, 1994, 151.

62. J. Th. Lundbye:
En dansk kyst. 1843.

Charlottenborg, 1843, kat.nr. 163;
anonym (= K.F.Wiborg) i *Fædrelandet*,
30. april 1843; Madsen, 1895, kat.nr. 134;
Hendriksen, 1920-21, 75, 83 f, 86, 97,
100-102; Madsen, 1949, 127-37, kat.nr.
134; Balslev Jørgensen, 1965, 43-45;
Lundbye, 1967, 9-11, 16, 23-25, 58, 60,
66 f, 74 f, 79, 84 f, 89, 114, 139, 141, 143,
149; Nørregård-Nielsen, 1986, 48-57;
Monrad, 1989, 248-52, fig. 244;
Gunnarsson, 1989, 155-57, afb. 114; K.
Monrad i København, 1991, 104-107, 114
note 50, fig. 117, kat.nr. 114; Linnet, 1994,
27, fig. 5; Jensen, 1994, 151.

63. Johan Thomas Lundbye:
Landskab ved Vejby. 1843

Ikke hos Madsen, 1895; Madsen, 1949,
kat.nr. 144 B; B. Skovgaard i København,
1989, 24, kat.nr. 77; Los Angeles & New
York, 1993-94, kat.nr. 86.

64. Vilhelm Kyhn:
*Parti ved Isefjorden (Roskilde Fjord
nær Frederikssund).* 1849

Charlottenborg, 1850, kat.nr. 102; *Guld-
alderkunst. Agnete og Knud Neyes Samling*,
Arne Bruun Rasmussens Kunstauktioner,
auktion nr.409, kat.nr. 7; Th.E. Stebbins i
Washington, 1980, 227; København,
1983 (a), kat.nr. 160; London, 1984,
kat.nr. 79; Nørregård-Nielsen, 1986, 26;
T. Gunnarsson i Stockholm & Göteborg,
1986, 32 f, kat.nr. 90; Monrad, 1989,
252 f, fig. 246; H. Reenberg i København,
1993, 9-11, 16 f, kat.nr. 17.

Litteratur

Andersen 1989
Jørgen Andersen, *De år i Rom. Abildgaard,
Sergel, Füssli.* København, 1989.

Aubert 1920
Andreas Aubert, *Maleren Johan Christian
Dahl.* Kristiania (Oslo), 1920.

Balslev Jørgensen 1965
Lisbet Balslev Jørgensen, »Johan Thomas
Lundbye som nordisk kunstner«,
Meddelelser fra Thorvaldsens Museum, 1965,
41-49.

Balslev Jørgensen 1972
Lisbet Balslev Jørgensen, »Thorvaldsen
and the Nazarenes«, *Apollo*, Vol. XCVI, No.
127, 1972, 46-53.

Bang 1987
Marie Lødrup Bang, *Johan Christian Dahl
1788-1857. Life and Works.* I-III. Oslo,
1987.

Bang 1993
Marie Lødrup Bang, »J.C. Dahl og de
danske mestre«, *Kunstmuseets Årsskrift*, bd.
71, 1993, 50-75.

Been & Hannover 1902-1903
Ch.A. Been & Emil Hannover, *Danmarks
Malerkunst.* I-II. København, 1902-1903.

Berlin 1990
Peter Klaus Schuster (red.), *Carl Blechen.
Zwischen Romantik und Realismus.*
Udstillingskatalog. Nationalgalerie,
Berlin, 1990.

Bjerre 1990
Henrik Bjerre, »Købke i knibe«, *Kunst-
museets Årsskrift*, bd. 68, 1990, 102-109.

Bolvig 1978
Axel Bolvig, *Den billedskabte virkelighed.*
København, 1978.

Bonde Jensen 1975
Jørgen Bonde Jensen, »Guldalder: to
familiebilleder af Eckersberg og Marstrand
fra 1818 og 1836«, *HUG!*, no. 6, 1975,
18-28 (genoptrykt i JBJ's *Mellemting:
æstetiske og politiske forsøg.* København,
1980, 154-188).

Bonde Jensen 1991
Jørgen Bonde Jensen, »Langebro i måne-
skin. Et billede af C.W. Eckersberg fra
1836«, *Kritik*, bd. 97, 1991, 28-50.

Bramsen 1935
Henrik Bramsen, *Landskabsmaleriet i
Danmark 1750-1875.* København, 1935.

Bramsen 1938 (a)
Henrik Bramsen, »Dessin d'apres modèles
de Nicolaj Abildgaard 1743-1809«, *Artes*,
VI, 1938, 143-166.

Bramsen 1938 (b)
Henrik Bramsen, *Malerier af
P.C. Skovgaard.* København, 1938.

Bramsen 1942
Henrik Bramsen, *Dansk Kunst fra Rokoko
til vore Dage.* København, 1942.

Bramsen 1962
Henrik Bramsen, *Danske Marinemalere.*
København, 1962.

Bramsen 1970
Henrik Bramsen, »Damen med strå-
hatten«, *Meddelelser fra Thorvaldsens
Museum*, 1970, 38-47.

Bramsen 1972
Henrik Bramsen, *Om C.W. Eckersberg og
hans mariner.* København, 1972.

Bramsen 1977-80
Henrik Bramsen, »Med Eckersberg til
karneval«, *Kunstmuseets Årsskrift*, LXIV-
LXVII, 1977-80, 32-37.

Bramsen 1990
Henrik Bramsen, *Kunst i enevældens sidste hundrede år.* København, 1990.

Brenna 1971
Arne Brenna, »Et efterårslandskap av Christen Købke«, i: *Meddelelser fra Ny Carlsberg Glyptotek*, 28. årg.,1971, 25-50.

Brenna 1971-73
Arne Brenna, »Christen Købkes portræt af Hermann Ernst Freund«, *Kunstmuseets Årsskrift*, LVIII-LX, 1971-73, 57-110.

Brenna 1973
Arne Brenna, »Købke i Nasjonalgalleriet«, i: *Kunst og Kultur*, LVI, 1973, 81-104.

Brenna 1974
Arne Brenna, »Aktmaleri fra dansk guldalder«, i: *Kunst og Kultur*, LVII, 1974, 83-102.

Bøgh 1990
Lone Bøgh, »Eksempler på undertegninger hos C. W. Eckersberg«, i: H. Jönsson, K. Strømstad & H. Westergaard (red.), *De lyse sale. Festskrift til Bente Skovgaard 30. oktober 1990.* København, 1990, 124-131.

Charlottenborg 1794
Fortegnelse med hosföiet Forklaring over det Arbeide, som af Professores, Medlemmer og Agreerede i det Kongelige Konstnernes Academie er forfærdiget og i dets Salon paa Charlottenborg til offentlig Skue udsat. Udstillingskatalog. Charlottenborg, København, 1794.

Charlottenborg 1807-
Fortegnelse over de ved det Kongelige Maler- Billedhugger- og Bygnings-Academie udstillede Kunstarbeider. Charlottenborg, København, 1807- .

Christensen 1983
Charlotte Christensen, »Om store og små profeter i det danske guldaldermaleri«, *Gutenberghus årsskrift 1983.* København, 1983, 4-19.

Clark m.fl. 1972
R. J. Clark (red.), *The Shaping of Art and Architecture in Nineteenth Century America.* New York, 1972.

Clay 1981
Jean Clay, *Romanticism.* Oxford & New York, 1981.

Colding 1988
Torben Holck Colding, »Nogle modelbilleder af Eckersberg fra Paris«, *Carlsbergfondet, Frederiksborgmuseet, Ny Carlsbergfondet. Årsskrift 1988*, København, 1988, 123-27.

Dragehjelm 1933
Hans Dragehjelm, »Den første Legeplads i Danmark«, *Gymnastisk Tidsskrift*, February 1933, 17-24.

Eckersberg 1833
C. W. Eckersberg, *Forsög til en Veiledning i Anvendelsen af Perspektivlæren for unge Malere.* København, 1833 (genoptrykt 1973).

Eckersberg 1841
C. W. Eckersberg, *Linearperspektiven anvendt paa Malerkunsten.* Tekst af G. F. Ursin. København, 1841 (genoptrykt 1978).

Eckersberg 1947
C. W. Eckersberg, *Dagbog og Breve. Paris 1810-13.* Redigeret og kommenteret af Henrik Bramsen. København, 1947.

Eckersberg 1973
C. W. Eckersberg, »Dagbog og breve. Rom 1813-16«, redigeret og kommenteret af H. Bramsen, H. Ragn Jensen, B. Jørnæs & M. Saabye, *Meddelelser fra Thorvaldsens Museum*, København, 1973, 19-129.

Ferrier 1991
Jean-Louis Ferrier, *L'aventure de l'art au XIXe siècle.* Paris, 1991.

Fischer 1975
Erik Fischer, »Abildgaard's Filoktet og Lessing's Laokoon«, *Kunstmuseets Årsskrift*, LXII, 1975, 77-102 (Genoptrykt i Fischer, 1988, 19-41).

Fischer 1988
Erik Fischer, *Billedtekster.* København, 1988.

Fischer 1992
Erik Fischer, »Abildgaards kongebilleder i Christiansborgs Riddersal«, *Kunstmuseets Årsskrift*, bd. 70, 1992, 4-39.

Fischer 1993
Erik Fischer, *C. W. Eckersberg.* København, 1993.

Fonsmark 1982
Anne-Birgitte Fonsmark, *Bøgeskov i maj. Et hovedværk af P. C. Skovgaard.* Informationsark 7, Ny Carlsberg Glyptotek, København, 1982.

Fonsmark 1983
Anne-Birgitte Fonsmark, »Købke på Capri«, *Meddelelser fra Ny Carlsberg Glyptotek*, 39. årg., 1983, 76-98.

Fonsmark 1990
Anne-Birgitte Fonsmark, »Udsigter og indsigter. Martinus Rørbye: 'Udsigt fra kunstnerens vindue', ca.1825«, i: E. J. Bencard, A. Kold & P. S. Meyer (red.), *Kunstværkets krav. 27 fortolkninger af danske kunstværker.* København, 1990, 67-77.

Gad 1976
Tue og Bodil Gad, *Vinduet. Et Biedermeiermotiv.* København, 1976.

Galassi 1991
Peter Galassi, *Corot in Italy.* New Haven & London, 1991.

Geismeier 1984
Willi Geismeier, *Die Malerei der deutschen Romantik.* Stuttgart, 1984.

Gress, 1980
Elsa Gress, »Abildgaards Den sårede Filoktet«, i: *Enten Eller.* Udstillingskatalog. Sophienholm, Lyngby, 1980, 45-56.

Guldbrandsen 1988
Agnes Guldbrandsen, *Jens Christian Holm. 1803-1846. En guldaldermalers skæbne.* København, 1988.

Gunnarsson 1989
Torsten Gunnarsson, *Friluftsmåleri före friluftsmåleriet. Oljestudien i nordiskt landskapsmåleri 1800-1850.* (Acta Universitatis Upsaliensis. Ars Suetica 12). Uppsala, 1989.

Gunnarsson 1994
Torsten Gunnarsson, »Natur och konst. Forhållandet mellan natur, naturstudier och idealisering i den danska guldålderns landskapsmåleri«, *Meddelelser fra Thorvaldsens Museum*, 1994, 43-55.

Gurlitt 1912
Ludwig Gurlitt, *Louis Gurlitt.* Berlin, 1912.

Hannover 1893
Emil Hannover, *Maleren Christen Købke.* København, 1893.

Hannover 1898
Emil Hannover, *Maleren C. W. Eckersberg.* København, 1898.

Hannover 1901
Emil Hannover, *Maleren Constantin Hansen.* København, 1901.

Hannover 1907
Emil Hannover, *Dänische Kunst des 19. Jahrhunderts.* Leipzig, 1907.

Hansen 1827
Hans Hansen, *Betragtninger over de skjønne Kunsters Værd.* København, 1827.

Hartmann 1949
Jørgen B. Hartmann, »Fra maleren Martinus Rørbyes vandreaar«, i: *Personalhistorisk Tidsskrift*, Bd. LXX, 12. series, no. 4, 1949, 75-116.

Hartmann 1950
Jørgen B. Hartmann, »Breve fra Martinus Rørbye 1835-48. Arbejder af Martinus Rørbye omtalt i rejsedagbøgerne 1834-41«, i: *Personalhistorisk Tidsskrift*, Bd. LXXI, 12. series, no. 5, 1950, 1-66.

Helsted 1972
Dyveke Helsted, »Thorvaldsen as a Collector«, *Apollo*, Vol. XCVI, No. 127, 1972, 206-13.

Helsted 1984
Dyveke Helsted, »Christian VIII: An Intelligent Amateur«, *Apollo*, Vol. CXX, No. 274, Dec. 1984, 418-425.

Hendriksen 1920-1921
F. Hendriksen, *Lorenz Frølich. Egne Optegnelser og Breve til og fra hans Slægt og Venner.* København, 1920.

Hennings 1778
August Hennings, *Essay historique sur les arts.* København, 1778.

Hennings 1802
Louis Bobé (udg.), *August Hennings' Dagbog under hans Ophold i København 1802.* (Særtryk af *Danske Magasin*, 7. rk., bd. 1). København, 1934.

Hertig 1954
Henrik Hertig, »Maleren Wilhelm Bendz«, *Fynske Aarbøger*, 1954, 169-211.

Hillerød 1978
Mette Bligaard, *Fædrelandshistoriske billeder.* Udstillingskatalog. Det Nationalhistoriske Museum på Frederiksborg, Hillerød, 1978.

Hintze 1937
Charlotte Hintze, *Kopenhagen und die deutsche Kunst.* Würzburg, 1937.

Høyen 1871-1876
N. L. Høyen, *Skrifter.* I-III. København, 1871-1876.

Jakobsen 1965
Kristian Jakobsen, »Christen Købke i Pompeji«, i: *Fynske Minder*, 1965, 215-232.

Jakobsen 1978
Kristian Jakobsen, »Var Abildgaards romer en græker?«, i: H. Lund (red.), *En bog om kunst til Else Kai Sass.* København, 1978, 276-89.

Jensen 1956
Johannes Jensen, »Et berømt portræt i søgelyset«, *KUNST*, Bd. 3, nr. 5, jan. 1956, 144-46.

Jensen 1985
Johannes Jensen, »Portræt-bestemmelser på afveje«, *CRAS*, XLI, 1985, 99-101.

Jensen 1994
Jørgen I. Jensen, »Den afsondrede, fjerne kirke. En kirkehistorisk udfordring hos guldaldermalerne«, *Meddelelser fra Thorvaldsens Museum*, 1994, 149-158.

Johansson 1964
Ejner Johansson, *Omkring Frederiksholms Kanal.* København, 1964.

Johansson 1993
Ejner Johansson, »En romersk Scene. Om H. C. Andersen og Albert Küchler«, *Anderseniana*, 1993, 75-96.

Josephson 1956
Ragnar Josephson, *Sergels fantasi.* I-II. Stockholm, 1956.

Jørnæs 1970
Bjarne Jørnæs, »Antiksalen på Charlottenborg«, *Meddelelser fra Thorvaldsens Museum*, 1970, 48-65.

Jørnæs 1982
Bjarne Jørnæs, »Quatre tableaux de l'age d'or danois«, *La Revue du Louvre*, XXXII, 1982, 56-60.

Kamphausen 1956
Alfred Kamphausen, *Deutsche und skandinavische Kunst. Begegnung und Wandlung.* Schleswig, 1956.

Kaspersen 1981
Søren Kaspersen, »Fra Skolen i Athen til Via Sistina nr. 64 øverste sal«, *CRAS*, XXIX, 1981, 28-36.

Kent 1987
Neil Kent, *The Triumph of Light and Nature. Nordic Art 1740-1940.* London, 1987.

Kiel 1968
Das goldene Zeitalter der dänischen Malerei. Udstillingskatalog. Kunsthalle, Kiel, 1968.

Kirkeby 1993
Per Kirkeby, *N. A. Abildgaard.* København, 1993.

Kjørup 1994
Søren Kjørup, »Guldalderforskningens paradigmer – eksemplificeret ved et maleri af Wilhelm Bendz«, *Meddelelser fra Thorvaldsens Museum*, 1994, 114-123.

Klose & Martius 1975
Olaf Klose & Lilli Martius, *Skandinavische Landschaftsbilder. Deutsche Künstlerreisen von 1780 bis 1864*. Neumünster, 1975.

Kold 1989
Anders Kold, »Ej blot af lyst og i ledige stunder. To landskaber af Jens Juel på Thorvaldsens Museum«, i: *På Klassisk Grund* (Meddelelser fra Thorvaldsens Museum 1989). København, 1989, 42-53.

Kragelund 1983
Patrick Kragelund, »The Church, the Revolution, and the 'Peintre Philosophe'. A Study in the Art of Nicolai Abildgaard«, *Hafnia. Copenhagen Papers in the History of Art*, No. 9, 1983, 25-65.

Kragelund 1987
Patrick Kragelund, »Abildgaard around 1800: his Tragedy and Comedy«, *Analecta Romana Instituti Danici*, XVI, 1987, 137-186.

Kragelund 1988-89
Patrick Kragelund, »Abildgaard, Homer and the Dawn of the Millennium«, *Analecta Romana Instituti Danici*, XVI, 1988-89, 181-224.

Kragelund 1991
Patrick Kragelund, »Abildgaard and Thorvaldsen«, i: P. Kragelund & M. Nykjær (red.), *Thorvaldsen. L'ambiente, l'influsso, il mito* (Analecta Romana Instituti Danici. Supplementum XVIII). Rom, 1991, 193-198.

Krohn 1915
Mario Krohn, *Maleren Christen Købkes Arbejder*. København, 1915.

København 1828
Fortegnelse over en Samling af Malerier, Tegninger og Kobbere, udstillet af Selskabet Kunstforeningen. Udstillingskatalog. Kunstforeningen, København, 1828.

København 1884
Malerier og Studier af Christen Schiellerup Købke. Udstillingskatalog. Kunstforeningen, København, 1884.

København 1893
Arbejder af Johan Thomas Lundbye. Udstillingskatalog. Kunstforeningen, København, 1893.

København 1895
C. W. Eckersbergs Malerier. Udstillingskatalog. Kunstforeningen, København, 1895.

København 1897
Udstillingen af Constantin Hansens Arbejder. Udstillingskatalog. Kunstforeningen, København, 1897.

København 1898
Kunstforeningens Marstrand Udstilling. Udstillingskatalog. Charlottenborg, København, 1898.

København 1901
Raadhusudstillingen af Dansk Kunst. Udstillingskatalog. 3. udg. Københavns Rådhus, København, 1901.

København 1905
Mario Krohn, *Fortegnelse over M. Rørbyes Arbejder*. Udstillingskatalog. Kunstforeningen, København, 1905.

København 1912
Christen Købkes Malerier. Udstillingskatalog. Kunstforeningen, København, 1912.

København 1917
Kunstforeningens Udstilling af P. C. Skovgaards Arbejder i 100 Aaret for hans Fødsel. Udstillingskatalog. Charlottenborg, København, 1917.

København 1922
Arbejder af Maleren Chr. Albr. Jensen. Udstillingskatalog. Kunstforeningen, København, 1922.

København 1930
Arbejder af M. Rørbye. Udstillingskatalog. Kunstforeningen, København, 1930.

København 1931
Malerier af Johan Thomas Lundbye. Udstillingskatalog. Kunstforeningen, København, 1931.

København 1953
Christen Købke. Udstillingskatalog. Kunstforeningen, København, 1953.

København 1975
Bjarne Jørnæs, *Dansk kunst 1825-1855*. Udstillingskatalog. Kunstforeningen, København, 1975.

København 1981 (a)
Hans Edvard Nørregård-Nielsen, *Købke og Kastellet*. Udstillingskatalog. Ny Carlsberg Glyptotek, København, 1981.

København 1981 (b)
Kasper Monrad, *Købke på Blegdammen og ved Sortedamssøen*. Udstillingskatalog. Artikler af Kasper Monrad og Erik Fischer. Statens Museum for Kunst, København, 1981.

København 1981 (c)
Dyveke Helsted, Eva Henschen, Bjarne Jørnæs & Torben Melander, *Martinus Rørbye 1803-1848*. Udstillingskatalog. Thorvaldsens Museum, København, 1981.

København 1982 (a)
Charlotte Christensen & Kasper Monrad, *De ukendte gulaldermalere*. Udstillingskatalog. Kunstforeningen, København, 1982.

København 1982 (b)
Ellen Poulsen, *Jens Juel i privat eje*. Udstillingskatalog. Introduktion af Kasper Monrad. Kunstforeningen, København, 1982.

København 1983 (a)
Bente Skovgaard, Hanne Westergaard & Hanne Jönsson, *C. W. Eckersberg og hans elever*. Udstillingskatalog. Statens Museum for Kunst, København, 1983.

København 1983 (b)
Erik Fischer, Jan Garff, Vibeke Knudsen, Jan Würtz Frandsen & Bjørn Westerbeek Dahl, *Tegninger af C. W. Eckersberg.* Udstillingskatalog. Den kongelige Kobberstiksamling, Statens Museum for Kunst, København, 1983.

København 1983-84
Dyveke Helsted, Eva Henschen & Bjarne Jørnæs, *C. W. Eckersberg i Rom 1813-16.* Udstillingskatalog. Thorvaldsens Museum, København, 1983-84.

København 1986
Hans Edvard Nørregård-Nielsen, *Omkring Loke. Arbejder af Hermann Ernst Freund.* Udstillingskatalog. Ny Carlsberg Glyptotek, København, 1986.

København 1987
Marie Lødrup Bang, Dyveke Helsted, Eva Henschen & Bjarne Jørnæs, *J. C. Dahl i Italien 1820-1821.* Udstillingskatalog. Thorvaldsens Museum, København, 1987.

København 1989
Bente Skovgaard & Else Lofthus, *Sommerrejsen til Vejby 1843. J. Th. Lundbye og P. C. Skovgaard.* Udstillingskatalog. Statens Museum for Kunst, København, 1989.

København & Odense 1989
Suzanne Ludvigsen, *Dankvart Dreyer 1816-1852. Malerier og tegninger.* Introduktion af Henrik Bramsen. Udstillingskatalog. Kunstforeningen, København & Fyns Kunstmuseum, Odense, 1989, 11-22.

København 1990
Kasper Monrad & Peter Nørgaard Larsen, *Mellem guder og helte. Historiemaleriet i Rom, Paris og København 1770-1820.* Udstillingskatalog. Statens Museum for Kunst, København, 1990.

København & Odense 1990
Jeg er i Italien! H. C. Andersen på rejse 1833-34. Udstillingskatalog. Thorvaldsens Museum, København & H. C. Andersens Hus, Odense 1990.

København 1991
Kasper Monrad & Colin J. Bailey, *Caspar David Friedrich og Danmark.* Udstillingskatalog. Statens Museum for Kunst, København, 1991.

København & Århus 1991
Bjarne Jørnæs & Stig Miss (red.), *Constantin Hansen 1804-1880.* Udstillingskatalog. Thorvaldsens Museum, København & Aarhus Kunstmuseum, Århus, 1991.

København 1992
Bjarne Jørnæs, Torben Melander og Stig Miss (red.), *Kunst og liv i Thorvaldsens Rom.* Udstillingskatalog. Thorvaldsens Museum, København, 1992.

København 1993
Holger Reenberg, *Vilhelm Kyhn.* Udstillingskatalog. Introduktion af Holger Reenberg & Jørn Guldberg. Kunstforeningen, København, 1993.

Lange 1900
Julius Lange, »Udsigt over Kunstens Historie i Danmark«, i: JLs *Udvalgte Skrifter.* Bd.1. København, 1900, 1-86.

Laugesen 1993
Peter Laugesen, *Lundbye. The Gallant Volunteer.* København, 1993.

Laurin m.fl. 1922
Carl Laurin, Emil Hannover & Jens Thiis, *Scandinavian Art.* New York, 1922.

Lindwall m.fl. 1963
Bo Lindwall (red.), *Guldalderen i dansk Kunst.* Stockholm, 1963 & København, 1964.

Lindwall 1975
Bo Lindwall, *Från rokoko till impressionism.* (Levande konst genom tiderna, V). Stockholm, 1975.

Linnet 1994
Ragni Linnet, »Guldalderens billedudtryk i filosofisk optik«, *Meddelelser fra Thorvaldsens Museum,* 1994, 21-35.

London 1907
Catalogue of the Exhibition of Works by Danish Painters. Art Gallery of the Corporation of London, London, 1907.

London 1948
Danish Art Treasures through the Ages. Udstillingskatalog. Victoria and Albert Museum. London, 1948.

London 1972
The Age of Neoclassicism. Udstillingskatalog. Royal Academy of Arts & Victoria and Albert Museum. London, 1972.

London 1984
Kasper Monrad, *Danish Painting: The Golden Age.* Udstillingskatalog. Introduktion af Henrik Bramsen & Alistair Smith. National Gallery, London, 1984.

London 1990
John Leighton & Colin J. Bailey, *Caspar David Friedrich, Winter Landscape.* Udstillingskatalog. National Gallery, London, 1990.

Los Angeles & New York 1993-94
Kasper Monrad, *The Golden Age of Danish Painting.* Udstillingskatalog. Artikler af Philip Conisbee, Bjarne Jørnæs, Kasper Monrad & Hans Vammen. Los Angeles County Museum of Art, Los Angeles & Metropolitan Museum of Art, New York, 1993-94.

Lundbye 1967
Johan Thomas Lundbye, *Et Aar af mit Liv.* Introduktion og noter af Mogens Lebech. København, 1967.

Lundbye 1976
Johan Thomas Lundbye, *Rejsedagbøger 1845-46.* Redigeret og kommenteret af Bjarne Jørnæs m.fl. København, 1976.

Lyngby 1979
Hanne Marcussen & Emma Salling (red.), *Akademiet og de skønne kunster.* Udstillingskatalog. Sophienholm, Lyngby, 1979.

Lyngby 1982
Kjeld Folsach m.fl., *Bybilledet*. Udstillings-
katalog. Sophienholm, Lyngby, 1982.

Lyngby 1992
Dyveke Helsted, *Dansk sommer gennem
200 år*. Udstillingskatalog. Sophienholm,
Lyngby, 1992.

Madsen 1895
Karl Madsen, *Johan Thomas Lundbye*.
København, 1895.

Madsen 1901
Karl Madsen, »Dankvart Dreyer«,
Tilskueren, 1901, 628-643.

Madsen 1901-1907
Karl Madsen (red.), *Kunstens Historie i
Danmark*. København, 1901-1907.

Madsen 1905
Karl Madsen, *Wilhelm Marstrand 1810-
1873*. København, 1905.

Madsen 1914
Karl Madsen, »Christen Købke og hans
Billeder paa Galleriet«, *Kunstmuseets Aars-
skrift*, I, 1914, 3-51.

Madsen 1925
Karl Madsen, »Eckersbergs Billede af
Nathansons ældste Døtre«, *Kunstmuseets
Aarsskrift*, XI-XII, 1925, 119-23.

Madsen 1949
Karl Madsen, *Johan Thomas Lundbye 1818-
1848*. 2. udg. revideret af Viggo Madsen &
Risse See. København, 1949.

Manchester & Cambridge 1993
Jane Munro (red.), *'Natur's Way. Romantic
landscapes from Norway*. Udstillings-
katalog. Introduktion af Alistair Smith,
Sidsel Helliesen & Ernst Haverkamp.
Whitworth Art Gallery, Manchester &
Fizwilliam Museum, Cambridge, 1993.

Marchwinski 1990
Alena Marchwinski, »Idyllen og den døds-
mærkede verden«, *Kunstmuseets Årsskrift*,
Bd. 68, 1990, 164-175.

Martius 1938
Lilli Martius, »Ditlev Conrad Blunck, ein
Maler aus Holstein«, *Nordelbingen*, XIV,
1938, 272-301.

Martius 1956
Lilli Martius, *Die schleswig-holsteinische
Malerei im 19. Jahrhundert*. Neumünster,
1956.

Melander 1990
Torben Melander, »The Reception of the
Triumph: Some Entrances in Copenhagen
and their Relation to Antiquity«, *Acte
Hyperborea*, 2 (The Classical Heritage in
Nordic Art and Architecture), 1990,
119-138.

Meldahl & Johansen 1904
F. Meldahl & P. Johansen, *Det kongelige
Akademi for de skjønne Kunster 1700-1904*.
København, 1904.

Mogensen 1984
Margit Mogensen, *Landbruget i dansk
malerkunst ca. 1840-1915*. Odense, 1984.

Mogensen 1994
Margit Mogensen, »De flittige kvinde-
hænder. Juels og Eckersbergs portrætter i
patriotisk lys«, *Meddelelser fra Thorvaldsens
Museum*, 1994, 83-93.

Monrad 1983
Kasper Monrad, »Eckersberg og historie-
maleriet i Rom«, i: L. Funder (red.),
C. W. Eckersberg. Udstillingskatalog.
Aarhus Kunstmuseum, Århus, 1983,
40-51.

Monrad 1985
Kasper Monrad, »Hvorfor stirrer Rørbye i
sin kaffekop?«, *CRAS*, XLIII, 1985, 25-38.

Monrad 1986 (a)
Kasper Monrad, »Religiøs symbolik gemt
bag guldalderens hverdag«, *Argos*, 3, 1986,
52-62.

Monrad 1986 (b)
Kasper Monrad, *Ragnarokfrisen af
H. E. Freund*. Udstillingskatalog. Statens
Museum for Kunst, København, 1986.

Monrad 1986-87
Kasper Monrad, »Abildgaard and the Art
Academy in Copenhagen at the End of the
18th Century«, *Leids Kunsthistorisch Jaar-
boek*, V-VI, (Academies of Art between
Renaissance and Romanticism) 1986-87
('s-Gravenhage, 1989), 549-559.

Monrad 1988
Kasper Monrad, »Købke på Frederiksborg
i 1835«, i: *Danmarks Christian. Christian
IV i eftertiden*. Udstillingskatalog. Aarhus
Kunstmuseum, Århus, 1988, 56-67.

Monrad 1989
Kasper Monrad, *Hverdagsbilleder. Dansk
guldalder – kunstnerne og deres vilkår*.
København, 1989.

Monrad 1990
Kasper Monrad, »Fra Odysseus' borg til
Langebro i København«, *Kunstmuseets Års-
skrift*, Bd. 68, 1990, 82-101.

Monrad 1992
Kasper Monrad, »Kampen om Abildgaards
professorat«, *Kunstmuseets Årsskrift*, Bd. 70,
1992, 66-89.

Monrad 1993
Kasper Monrad, »Med Jens Juel på
arbejde«, *Kunstmuseets Årsskrift*, bd. 71,
1993, 40-49.

Monrad 1994
Kasper Monrad, »Tyske forbilleder.
Frederik Sødring og Christen Købke og
München-skolens malere«, *Meddelelser fra
Thorvaldsens Museum*, 1994, 61-73.

Mortensen 1978
Erik Mortensen, »Omkring N. L. Høyen
som kunstkritiker«, i: H. Lund (red.), *En
bog om kunst til Else Kai Sass*. København,
1978, 364-376.

Mortensen 1981
Erik Mortensen, »Eine arabische Familie
in Kopenhagen«, *Hafnia. Copenhagen
Papers in the History og Art*, No. 8, 1981,
34-50.

Mortensen 1986
Erik Mortensen, »Den høyenske national-
romantik og genremaleriet«, *Argos*, 3,
1986, 37-51.

Mortensen 1990
Erik Mortensen, *Kunstopfattelsens og kunst-
kritikkens historie i Danmark*. I-II. Køben-
havn, 1990.

Mortensen 1994
Erik Mortensen, »1840ernes politisering.
En tolkning af et maleri af P. C. Skovgaard,
samt nogle mentalhistoriske og stil-
historiske betragtninger«, *Meddelelser fra
Thorvaldsens Museum*, 1994, 138-148.

Moskva 1989
Zolotoj vek. Datskoj zivopisi. Udstillings-
katalog. Puskin Museum, Moskva, 1989.

Munk 1985
Jens Peter Munk, *Købke, Sødring og atelieret
på Toldbodvejen*. Udstillingskatalog. Den
Hirschsprungske Samling, København,
1985.

Munk 1991
Jens Peter Munk (red.), *På sporet af Jørgen
Roed. Italien 1837-1841*. Udstillings-
katalog. Ny Carlsberg Glyptotek, Køben-
havn, 1991.

Munk 1994
Jens Peter Munk, »Kunstnerportræt –
selvportræt. Om Guldalderkunstnernes
sociale og kulturelle selvforståelse, når de
portrætterer sig selv og hinanden«,
Meddelelser fra Thorvaldsens Museum, 1994,
103-113.

München 1984
Barbara Eschenburg (red.), *Spätromantik
und Realismus*. Museum katalog. Neue
Pinakothek, München, 1984.

München 1985
Erik Fischer & William Gelius, *Von
Abildgaard bis Marstrand*. Udstillings-
katalog. Neue Pinakothek, München,
1985.

München 1988-89 (a)
Christoph Heilmann (red.), *Johan
Christian Dahl 1788-1857. Ein Malerfreund
Caspar David Friedrichs*. Udstillings-
katalog. Neue Pinakothek, München,
1988-89.

München 1988-89 (b)
Georg Himmelheber (red.), *Kunst des
Biedermeier 1815-1835*. Udstillingskatalog.
Bayrisches Nationalmuseum, München,
1988-89.

Napoli 1962
*Il paesaggio neapoletano nella pittura
straniera*, Udstillingskatalog. Palazzo
Reale, Napoli, 1962.

Néto Daguerre & Coutagne 1992
Isabelle Néto Daguerre & Denis Coutagne,
Granet. Peintre de Rome. Aix-en Provence,
1992.

New Haven 1979
Nancy L. Pressly, *The Fuseli Cercle in Rome.
Early Romantic Art of the 1770s*.
Udstillingskatalog. Yale Center for British
Art, New Haven, 1979.

Nivå 1985
Claus M. Smidt & Christian Waage-
petersen, *Hos hofvinhandleren i Store
Strandstræde*. Udstillingskatalog. Nivaa-
gaards Malerisamling, Nivå, 1985.

Nivå 1992
Gitte Valentiner (red.), *Nivaagaard viser
Marstrand*. Udstillingskatalog. Nivaa-
gaards Malerisamling, Nivå, 1992.

Nordhagen 1968
Per Jonas Nordhagen, »C. W. Eckersberg
og det tidlige realistiske maleri i
Danmark«, *Nordisk Tidsskrift*, Bd. 44,
1968, 10-30.

Norman 1987
Geraldine Norman, *Biedermeier painting
1815-1848*. London, 1987.

Novotny 1960
Fritz Novotny, *Painting and Sculpture in
Europe 1780-1880*. Harmondsworth &
Baltimore, 1960 (2.udg. 1971).

Nürnberg & Schleswig 1991-92
Gerhard Bott & Heinz Spielmann,
*Künstlerleben in Rom. Bertel Thorvaldsen
(1770-1844). Der dänische Bildhauer und
seine deutschen Freunde*. Udstillingskatalog.
Germanisches Nationalmuseum,
Nürnberg & Schleswig-Holsteinisches
Landesmuseum Schloß Gottorf,
Schleswig, 1991-92.

Nykjær 1977
Mogens Nykjær, »Ditlev Bluncks De Fire
Menneskealdre. Et overset hovedværk i
Guldalderens malerkunst?«, *CRAS*, XVI,
1977, 53-62.

Nykjær 1977-80
Mogens Nykjær, »I kunstnerens Værksted.
Omkring Wilhelm Bendz«, *Kunstmuseets
Årsskrift*, LXIV-LXVII, 1977-80, 37-47.
(Genoptrykt i Nykjær 1991 (b)).

Nykjær 1978
Mogens Nykjær, »Nationalopdragelse,
mytologi og historie. Om guldalderens
monumentalmaleri« i: H. Lund (red.), *En
bog om kunst til Else Kai Sass*. København,
1978, 320-430 (Genoptrykt i Nykjær 1991
(b)).

Nykjær 1983
Mogens Nykjær, »En borgerlig bebudelse
– Jørgen Roeds maleri Haven med den
gamle døbefont«, *ICO – Iconographisk
Post. Nordich Review of Iconography*, 1983,
nr. 3, 1-7.

Nykjær 1986
Mogens Nykjær, »Kundskabens billeder.
Om Christen Købke«, *Argos*, 3, 1986,
27-36 (Genoptrykt i Nykjær 1991 (b)).

Nykjær 1988-89
Mogens Nykjær, »'Die vier Lebensalter'
von Ditlev Conrad Blunck. Bild und
Bildung in der dänischen Kunsts des 19.
Jahrhunderts«, *Analecta Romana Instituti
Danici*, XXVII-XVIII, 1988-89, 231-46
(Dansk version i Nykjær 1991 (b)).

Nykjær 1991 (a)
Mogens Nykjær, »Motivi classici nell'arte
danese del primo Ottocento«, i:
P. Kragelund & M. Nykjær (red.),

Thorvaldsen. *L'ambiente, l'influsso, il mito*
(Analecta Romana Instituti Danici.
Supplementum XVIII). Rom, 1991, 199-210.

Nykjær 1991 (b)
Mogens Nykjær, *Kundskabens billeder.
Motiver i dansk kunst fra Eckersberg til
Hammershøi.* Århus, 1991.

Nørregaard Pedersen 1990
Kirsten Nørregaard Pedersen, »Pompeian
Decorative Art in the Danish Golden Age.
Conceptual Background and
Development of Motif«, *Acte Hyperborea*, 2
(The Classical Heritage in Nordic Art and
Architecture), 1990, 139-151.

Nørregård-Nielsen 1981
Hans Edvard Nørregård-Nielsen, »The
Lyricism of Christen Købke«, *Apollo*, June
1981, 372-373.

Nørregård-Nielsen 1982 (a)
Hans Edvard Nørregård-Nielsen, »Efter
naturen«, *Meddelelser fra Ny Carlsberg
Glyptotek*, 38. årgang, 1982, 15-34.

Nørregård-Nielsen 1982 (b)
Hans Edvard Nørregård-Nielsen, »Om de
danske kunstnere i Rom«, i: Tue Ritzau &
Karen Ascani (red.), *Rom er et fortryllet bur.*
København, 1982, 69-120.

Nørregård-Nielsen 1983
Hans Edvard Nørregård-Nielsen, *Dansk
kunst.* I-II. København, 1983.

Nørregård-Nielsen 1984
Hans Edvard Nørregård-Nielsen,
»Evergreens«, *Meddelelser fra Ny Carlsberg
Glyptotek*, Bd.40, 1984, 31-62.

Nørregård-Nielsen 1985
Hans Edvard Nørregård-Nielsen, *Kongens
København. En guldaldermosaik.* Køben-
havn, 1985.

Nørregård-Nielsen 1986
Hans Edvard Nørregård-Nielsen, *Danske
kyster.* København, 1986.

Nørregård-Nielsen 1989
Hans Edvard Nørregård-Nielsen, »Selv
naturen føler savn«, *Meddelelser fra Ny
Carlsberg Glyptotek*, Bd. 45, 1989, 5-28.

Nørregård-Nielsen 1991
Hans Edvard Nørregård-Nielsen, *Undervejs
med Christen Købke.* København, 1991.

Odense 1960
Jens Juel. Udstillingskatalog. Fyns
Stiftsmuseum, Odense, 1960.

Ohrt 1987
Karsten Ohrt, »C. W. Eckersbergs national-
historische Gemälde für Schloss
Christiansborg«, *Hafnia. Copenhagen
Papers in the History of Art*, No. 11, 1987,
93-132.

Oppermann 1916
Th. Oppermann, *Hermann Ernst Freund
1786-1840.* København. 1916.

Oppermann 1924-30
Th.Oppermann, *Thorvaldsen.* I-III. Køben-
havn, 1924-1930.

Olsen 1985
Harald Olsen, *Roma com'era nei dipinti
degli artisti danesi dell'Ottocento.* Rom,
1985.

Oslo & København 1973
Leif Østby, Hanne Westergaard &
Else Lofthus, *J. C. Dahl og Danmark.*
Udstillingskatalog. Nasjonalgalleriet, Oslo
& Statens Museum for Kunst, København,
1973.

Oslo & Bergen 1988
Marit Lange (red.), *Johan Christian Dahl
1788-1857. Jubileumsutstilling 1988.*
Udstillingskatalog. Nasjonalgalleriet, Oslo
& Bergen Billedgalleri, 1988.

Oslo 1992-93
Tone Skedsmo & Ellen Lerberg, *Fire danske
klassikere. Nicolai Abildgaard, Jens Juel,
Christoffer Wilhelm Eckersberg og Bertel
Thorvaldsen.* Udstillingskatalog. Essays af
Kasper Monrad, Eva Henschen, Oscar
Thue and Marie Lødrup Bang. Nasjonal-
galleriet, Oslo, 1992-93.

Papanicolaou-Christensen 1985
Aristea Papanicolaou-Christensen, *Athens
1818-1853. Views of Athens by Danish
Artists.* Athens, 1985.

Paris 1928
*L'art danois depuis fin XVIIIe siècle jusqu'a
1900.* Udstillingskatalog. Musée du Jeu de
Paume, Paris, 1928.

Paris 1965
Le Danemark. Ses trésors, son art.
Udstillingskatalog. Louvre, Paris, 1965.

Paris 1984-85
Kasper Monrad, *L'age d'or de la peinture
danoise.* Udstillingskatalog.
Introduktioner af Henrik Bramsen og
Palle Lauring. Grand Palais, Paris, 1984.

Paris 1989-90
*L'invention d'un art. Cent cinquantième
anniversaire de la photographie.* Udstillings-
katalog. Centre Pompidou, Paris, 1989-
90.

Paris 1991
*Nouvelles acquisitions du département des
Peintures (1987-1990).* Udstillingskatalog.
Louvre, Paris, 1991.

Petersen 1933-1934
Carl V. Petersen, »Skitse og Billede i vor
ældre Malerkunst«, *Kunstmuseets Årsskrift*,
XX-XXI, 1933-1934, 114-130.

Plewing 1974
Steen Friedlund Plewing, »Constantin
Hansens billede: Danske Kunstnere i
Rom«, *Kunstmuseets Årssrift*, LXI, 1974,
50-57.

Poulsen 1961
Ellen Poulsen, *Jens Juel.* København, 1961.

Poulsen 1962
Ellen Poulsen, »Jens Juel. Master Portrait
Painter«, *The Connoisseur*, Bd. 149, 1962,
no. 600, 71-75.

Poulsen 1991
Ellen Poulsen, *Jens Juel.* I-II. København,
1991.

Poulsen m.fl. 1972
Vagn Poulsen, Torben Holck Colding, Henrik Bramsen & Lisbet Balslev Jørgensen, *Akademiet og guldalderen 1750-1850* (Dansk Kunsthistorie, 3). København, 1972.

Poulsen m.fl. 1979
Vagn Poulsen, Torben Holck Colding, Henrik Bramsen & Lisbet Balslev Jørgensen, *Dansk Guldalderkunst. Maleri og skulptur 1750-1850*. (Rev. udg. af Dansk Kunsthistorie, 3). København, 1979.

Praz 1971
Mario Praz, *Conversation Pieces*. London, 1971.

Ragn Jensen 1974
Hannemarie Ragn Jensen, »Sechs Landschaftsgemälde von J. L. Lund«, *Hafnia. Copenhagen Papers in the History of Art*, No. 3, 1974, 28-45.

Ragn Jensen 1978
Hannemarie Ragn Jensen, »Ein dänischer Nazarener. J. L. Lunds Altargemälde«, *Hafnia. Copenhagen Papers in the History of Art*, No.5, 1978, 78-106.

Ragn Jensen 1979
Hannemarie Ragn Jensen, »Die zweite Generation der dänischen Nazarener«, *Hafnia. Copenhagen Papers in the History of Art*, No.6, 1979, 144-175.

Ragn Jensen 1985
Hannemarie Ragn Jensen, »Constantin Hansen. A 19th-century Danish classicist«, *Hafnia. Copenhagen Papers in the History of Art*, No.10, 1985, 73-104.

Ragn Jensen 1990
Hannemarie Ragn Jensen, »Danish Painters of the Golden Age and the Excavations of Ancient Monuments in Rome«, *Acte Hyperborea*, 2 (The Classical Heritage in Nordic Art and Architecture), 1990, 105-117.

Ragn Jensen 1994
Hannemarie Ragn Jensen, »Genrernes forvandling i 1. halvdel af det 19. århundrede«, *Meddelelser fra Thorvaldsens Museum*, 1994, 74-82.

Riis 1974
P. J. Riis, »Abildgaard's Athens«, *Hafnia. Copenhagen Papers in the History of Art*, No. 3, 1974, 9-27.

Rohde 1977
H. P. Rohde, *En guldaldermaler i Italien. Constantin Hansen*. København, 1977.

Rohde 1982
H. P. Rohde, *Danske kunstnere i Rom. Studier omkring et guldaldermaleri*. København, 1982.

Rohde 1993
H. P. Rohde (red.), *Kun en maler. Christen Købke. Breve og optegnelser*. København, 1993.

Rom & København 1977-78
Harald Olsen, *Pittori danesi a Roma/Danske malere i Rom i det 19.århundrede*. Udstillingskatalog. Palazzo Braschi, Museo di Roma, Rom & Statens Museum for Kunst, København, 1977-78.

Rom 1989-90
Elena di Majo, Bjarne Jørnæs & Stefano Susinno, *Bertel Thorvaldsen 1770-1844. Scultore danese a Roma*. Udstillingskatalog. Galleria Nazionale d'Arte Moderna, Rom, 1989-1990.

Rosenblum 1967
Robert Rosenblum, *Transformations in Late Eighteenth Century Art*. Princeton, 1967.

Rosenblum & Janson 1984
Robert Rosenblum & Horst W. Janson, *Art of the 19th Century*. London & New York, 1984.

Rostrup 1937
Haavard Rostrup, *Nyerhvervelser til Glyptotekets moderne Afdeling*. Ny Carlsberg Glyptotek, København, 1937.

Rostrup 1978
Danske Malerier og Tegninger i Ny Carlsberg Glyptotek. Museums katalog. Ny Carlsberg Glyptotek, København, 1977.

Rubow 1956
Jørn Rubow, »Fem års tilvæxt af ældre dansk maleri«, *Kunstmuseets Årsskrift*, XXXIX-XLII, 1956, 99-124.

Røder 1902
Andreas Røder, *Landskabsmaleren P. C. Skovgaard*. København, 1902.

Røder 1905
Andreas Røder, *Maleren W. Bendz*. København, 1905.

Rørbye m.fl. 1876-1877
Martinus Rørbye m.fl. »Breve fra danske Kunstnere i Udlandet til C. W. Eckersberg«, i: *Det 19. Aarhundrede*, III, 1876-77, 38-62.

Salling 1975
Emma Salling, *Kunstakademiets guldmedaljekonkurrencer 1755-1857*. København, 1975.

Sass 1986
Else Kai Sass, *Lykkens Tempel. Et maleri af Nicolai Abildgaard*. København, 1986.

Schiff 1973
Gert Schiff, *Johann Heinrich Füssli*. I-II. Zürich & München, 1973.

Schultz 1928
Sigurd Schultz, *Dansk Genremaleri*. København, 1928.

Schultz 1932
Sigurd Schultz, *C. A. Jensen*. I-II. København, 1932.

Schwartz 1992
Sanford Schwartz, *Christen Købke*. New York, 1992.

Scott 1987
Barbara Scott, »The Danish Reynolds. Jens Juel (1745-1802)«, *Apollo*, June 1987, no. 125, 411-15.

Skovgaard 1920
Joakim Skovgaard, »P. C. Skovgaard. Kunstforeningens Udstilling i Hundred-aaret efter hans Fødsel«, *Kunstmuseets Aarsskrift*, VII, 1920, 2-44.

Skovgaard 1961
Bente Skovgaard, *Maleren Abildgaard*. København, 1961.

Smidt 1983
Claus M. Smidt, *100 malerier på Nivaa-gaard*. Nivaagaards Malerisamling, Nivå, 1983.

Stein 1990
Meïr Stein, »From Philoctetes to Jason. Abildgaard and Danish Art 1772-1802«, i: *Flora Danica og det danske hof*. Udstillings-katalog. Christiansborg, København, 1990, 70-113.

Sthyr 1943-49
Jørgen Sthyr, *Dansk Grafik*. I-II. Køben-havn, 1943-49 (genoptrykt 1970).

Stockholm 1964
Dansk guldålder. Målningar, teckningar, skulpturer. Udstillingskatalog. National-museum, Stockholm, 1964.

Stockholm & Göteborg 1986-87
Görel Cavalli-Björkman (red.), *En ny värld. Amerikanskt landskapsmåleri 1830-1900*. Udstillingskatalog. Nationalmuse-um, Stockholm & Göteborgs Konstmuse-um, Göteborg, 1986-87.

Stockholm 1991
Torsten Gunnarsson, *I konstnärens ateljé*. Udstillingskatalog. Nationalmuseum, Stockholm, 1991.

Stubbe Østergaard 1991
Jan Stubbe Østergaard, » 'At see og studere antikerne' – et romersk forlæg for C. W. Eckersbergs 'Odysseus' hjemkomst' «, *Kunstmuseets Årsskrift*, Bd. 69, 1991, 36-45.

Swane 1921
Leo Swane, *Dankvart Dreyer 1816-1852*. København, 1921.

Swane 1937
Leo Swane, »Abildgaard som maler«, *Kunstmuseets Årsskrift*, XXIV, 1937, 1-30.

Thiele 1851-1856
J. M. Thiele, *Thorvaldsens Biografi*. I-IV. København, 1851-1856.

Trento 1993
Gabriella Belli (red.), *Romanticismo. Il nuovo sentimento della natura*. Udstillings-katalog. Palazzo delle Albere, Trento, 1993.

Ussing 1872
J. L. Ussing, *Niels Laurits Høyens Levned*. I-II. København, 1872.

Valentiner 1990
Gitte Valentiner, »Marstrand og Vaude-villen«, i. *Kunstmuseets Årsskrift*, Bd.68, 1990, 48 53.

Valentiner 1992
Gitte Valentiner, *Marstrand. Scenebilleder*. København, 1992.

Vestergaard 1977-1980
Lilian Vestergaard, »Landskabsmaleren Frederik Sødring«, *Kunstmuseets Årsskrift*, LXIV-LXVII, 1977-1980, 48-82.

Viborg 1967
P. C. Skovgaard Udstilling. Udstillings-katalog. Skovgaard Museet, Viborg, 1967.

Villadsen 1974
Villads Villadsen, *Ribe Domkirke. Et motiv i dansk guldalderkunst*. Ribe, 1974.

Villadsen 1980
Villads Villadsen, *Amerikanerens endeligt: omkring C. W. Eckersbergs marine "Affairen mellem en engelsk og en amerikansk fregat 1813"*. (Omkring et kunstværk 1). Randers Kunstmuseum, Randers, 1980.

Voss 1968
Knud Voss, *Guldalderens Malerkunst. Dansk Arkitekturmaleri 1800-1850*. København, 1968.

Voss 1976
Knud Voss, *Guldaldermalerne og deres billeder på Statens Museum for Kunst*. København, 1976.

Wanscher 1936
Vilhelm Wanscher, »Constantin Hansen 1804-1880 et les peintures du Vestibule de l'Université du Copenhague«, *Artes*, IV, 1936, 1-69.

Washington 1980
John Wilmerding (red.), *American Light. The Luminist Movement 1850-1875*. Udstillingskatalog. National Gallery of Art, Washington 1980

Weilbach 1872
Philip Weilbach, *Maleren Eckersbergs Levned og Værker*. København, 1872.

Westergaard 1978
Hanne Westergaard, »Vilhelm Kyhns originalgrafik og landskabsmaleri«, i: *Bog-vennen*, 1978, 7-40.

Wiborg 1838
K. F. Wiborg, *Kritik over de ved det kongelige Akademi for de skjønne Konster offentlig udstillede Malerier*. København, 1838.

Wiborg 1844
K. F. Wiborg, *Konstudstillingen i 1844*. København, 1844.

Winkel 1976
Niels Winkel, *Naturstudiet i C. W. Eckers-bergs marinemaleri*. København, 1976.

Wivel 1993
Mikael Wivel, *Christen Købke*. København, 1993.

Østby 1974
Leif Østby, »J. C. Dahls danske læreår«, i: *Kunstmuseets Årsskrift*, LXI, 1974, 3-42.

Århus 1983
Lise Funder (red.), *C. W. Eckersberg*. Udstillingskatalog. Aarhus Kunstmuseum, Århus, 1983.

© Statens Museum for Kunst
og Kasper Monrad

Grafisk tilrettelæggelse og sats:
Mette & Eric Mourier
Reproduktion og produktion:
F. Hendriksens Eftf., København
Tryk: P. J. Schmidt Tryk; Vojens

Fotografer: Hans Petersen
samt A. Brandt, Wermund Bendtsen,
Lennart Larsen og museernes arkiv-
optagelser

Papir: Mat Silverblade 150 gr.
Skrift: Giovanni
Oplag: 3000

ISBN 87 7551 090 1